Crônicas de viagem | **2**

Cecília Meireles

Crônicas de viagem | 2

Apresentação e Planejamento Editorial   Leodegário A. de Azevedo Filho
Coordenação Editorial   André Seffrin

São Paulo
2016

© Condomínio dos Proprietários dos Direitos Intelectuais
de Cecília Meireles
Direitos cedidos por Solombra – Agência Literária
(solombra@solombra.org)
1ª Edição, Nova Fronteira, Rio de Janeiro 1999
2ª Edição, Global Editora, São Paulo 2016

Jefferson L. Alves – diretor editorial
Gustavo Henrique Tuna – editor assistente
André Seffrin – coordenação editorial, estabelecimento de texto e cronologia
Flávio Samuel – gerente de produção
Jefferson Campos – assistente de produção
Flavia Baggio – preparação e revisão de texto
Fernanda Bincoletto – assistente editorial e revisão
Tathiana A. Inocêncio – projeto gráfico
Victor Burton – capa

Obra atualizada conforme o
NOVO ACORDO ORTOGRÁFICO DA LÍNGUA PORTUGUESA.

A Global Editora agradece à Solombra – Agência Literária pela gentil cessão dos direitos de imagem de Cecília Meireles.

CIP-BRASIL. CATALOGAÇÃO NA PUBLICAÇÃO
SINDICATO NACIONAL DOS EDITORES DE LIVROS, RJ

M453c
2. ed.
v.2

    Meireles, Cecília, 1901-1964
       Crônicas de viagem, volume 2 / Cecília Meireles; organização Leodegário A. de Azevedo Filho; coordenação André Seffrin. – 2. ed. – São Paulo: Global, 2016.

    ISBN 978-85-260-2269-0

    1. Crônica brasileira. I. Azevedo Filho, Leodegário A. de. II. Seffrin, André. III. Título.

16-30530
                        CDD: 869.98
                        CDU: 821.134.3(81)-8

Direitos Reservados

global editora e distribuidora ltda.
Rua Pirapitingui, 111 – Liberdade
CEP 01508-020 – São Paulo – SP
Tel.: (11) 3277-7999 – Fax: (11) 3277-8141
e-mail: global@globaleditora.com.br
www.globaleditora.com.br

Colabore com a produção científica e cultural.
Proibida a reprodução total ou parcial desta obra sem a autorização do editor.

Nº de Catálogo: **3870**

Sumário

Apresentação – *Leodegário A. de Azevedo Filho* 11

Esta triste cidade 17

Lamento pela cidade perdida 20

A heroica e leal cidade 22

De Paris 24

Entre o relógio e o mapa 26

"*Castilla, la bien nombrada...*" 31

Quando o viajante se transforma em turista 36

Holanda em flor 40

Onde estamos? 44

Oriente-Ocidente 47

Uma voz no Oriente 51

O deslumbrante cenário 55

Tico-tico em Amesterdão 59

Da ruiva Siena 61

Uma hora em San Gimignano 65

"Ver Nápoles e..." 69

Ainda Nápoles 73

"Quando a vaga beija o vento..." 77

Voz em Florença 81

Cidade líquida 85

Entre o chão e o céu 90

A ilha dos Pássaros 94

Pequenas notas 99

Roma, turistas e viajantes 104

Minas em Roma 108

À sombra da pirâmide de Cestius 113

"Nem sempre..." 117

Ano muito bom 121

Aragem do Oriente 124

Chez Sophie 127

Uma escolinha 129

Uma remota aldeia 132

Viagem 134

Os museus de Paris 136

Voz de poeta 138

Desde o Schiphol 140

Amor correspondido 142

Luz da Holanda 144

Noite maternal 146

Direção Leste 148

Pelo Mahatma 152

Luz e som de Bombaim 156

Caminhos de Bombaim 160

Adeus, amiga... 162

Retrato de uma outra família 166

A casa e a estrela 170

Ritmo de um congresso 175

Ocidente perplexo 179

Pequena voz 183

Onde fala o Japão e onde se vê a Índia 187

Um grande discurso 191

Índia florida 195

São belos, estes dias... 199

Interlúdio 203

Raiz das catástrofes 207

Apontamentos 211

Recordação de Acbar 216

Reino de Hanumã 220

Vimos o Taj Mahal 224

A modesta Patna 229

Do Ganges a Tagore 233

Um dia em Calcutá... 237

Tempo sobre espelhos 241

Pensamentos do caminho 246

Variedades 251

Cronologia 257

Apresentação

Este é o segundo tomo do volume *Crônicas de viagem* da obra em prosa de Cecília Meireles, conforme o planejamento editorial aqui apresentado e aprovado pela família da escritora e pelos editores. O volume anterior recolheu as suas crônicas em sentido geral, enquanto este foi reservado para a reunião de suas crônicas de viagem, já que percorreu várias partes do mundo, deslumbrando-se com lugares, pessoas e coisas.[1] Por certo, viajar com ela, ou a seu lado, ainda que pela imaginação, significa muito mais do que uma viagem isolada, sem graça, ou sem companhia, embora realizada. Até porque Cecília não era simplesmente *turista*, mas *viajante*, ela própria distinguindo a semântica dos dois termos.

Com efeito, numa espécie de descodificação poética da realidade, ou, se quiserem, do cotidiano, as funções referencial e denotativa estão naturalmente presentes, mas como ponto inicial ou motivador, em qualquer crônica de Cecília Meireles. Contudo, não apenas a função referencial aí se encontra, como elemento integrante de uma estrutura mais complexa, pois o fenômeno da representação literária é compósito, reclamando logo a presença de outros elementos, numa rede de interdependências solidárias. Tais elementos de representação, indo além do ideológico, no caso de base espiritual ou espiritualista, integram ainda em si a dimensão mítica e a dimensão onírica. Por isso mesmo, a linguagem de suas crônicas não se reduz à linguagem jornalística apenas, por ser essencialmente literária. Mesmo quando recorre à memória, facilmente se percebe que a imaginação criadora percola pelo tecido memorialístico, abrindo espaços por onde se infiltra a ficção, que penetra nos interstícios do texto, guiada por suas mãos de fada. E como aqui se trata de crônicas de viagem, que

---

1 Referência ao plano editorial "Cecília Meireles – Obra em prosa" levado adiante pela Editora Nova Fronteira, entre 1998 e 2001, quando foram publicados apenas o primeiro tomo de *Crônicas em geral*, três tomos de *Crônicas de viagem* e cinco tomos de *Crônicas de educação*, todos com apresentação e planejamento editorial de Leodegário A. de Azevedo Filho. (N. E.)

nada têm a ver com a frieza puramente referencialista de exposições técnicas ou relatórios, o texto logo se eleva e atinge plenamente a categoria estética ou literária, induzindo o leitor a viajar com ela, a suave cronista, numa forma de viagem altamente privilegiada, já que é feita ao lado de alguém que sabe reunir, em fórmula mágica ou encantatória, cultura, inteligência e sensibilidade. Assim são as crônicas de viagem de Cecília Meireles, muito pouco turísticas, pois "viajar é uma outra forma de meditar", como a própria autora diz.

A partir da ida a Portugal, em companhia de Fernando Correia Dias, seu marido, nos idos de 1934, viagem de que a família guarda precioso álbum ilustrado, sempre em missão cultural, pois realizou conferências nas universidades de Lisboa e Coimbra, Cecília Meireles visitou vários países: Estados Unidos da América e México, em 1940, onde proferiu várias conferências na Universidade do Texas, traduzidas para o inglês; Uruguai e Argentina, em 1944; Índia, Goa e várias nações da Europa (Portugal, Espanha, Itália, França, Bélgica, Holanda), em 1951, 1952 e 1953; novamente Europa e Açores, em 1954; Porto Rico, em 1957; Israel, Grécia, Itália (1958); novamente Estados Unidos da América, via Peru, em 1959; e novamente México, em 1962. E isso sem considerar as viagens feitas pelo Brasil afora, particularmente Minas Gerais, São Paulo e Rio Grande do Sul.

Neste volume, em forma de crônicas, revela-se toda a rica experiência humana de Cecília Meireles em seu contato reflexivo com as pessoas e com o mundo, ou em seu contato com várias civilizações e várias culturas. Muitas crônicas, entre as que aqui foram reunidas, estão sem indicação de data nos arquivos da família. Outras estão com datas indicadas com a própria letra de Cecília Meireles, ou pelos jornais e revistas que as publicaram. Para o primeiro caso, entre colchetes, sugerimos uma provável data, levando em conta o assunto e a cronologia de suas viagens a países estrangeiros. Assim, se houver erro, não há de ser muito grande. E aqui informamos ainda que houve atualização ortográfica dos textos, desenvolvendo-se abreviaturas e corrigindo-se erros evidentes nos datiloscritos e nos textos impressos em jornais ou revistas, onde há sempre inevitáveis falhas de revisão.

Por fim, considerando-se que a obra em prosa de Cecília Meireles é tão significativa quanto a sua obra poética, mais uma vez ressaltamos aqui a importância, para a literatura brasileira, desta publicação em vários volumes, graças ao investimento editorial da Nova Fronteira, que resgata rico material disperso em revistas e jornais da época. Podem agora os estudiosos de sua obra, em prosa e verso, dispor de farto documentário de pesquisa e análise. Tudo numa forma literária em que a referencialidade inicial ou motivadora da criação do texto não confunde, em momento algum, configuração mimética com simples reprodução homológica ou especular de contextos, pois o que se tem aqui é representação literária no mais alto sentido da expressão. Daí afirmar Darcy Damasceno, na "Introdução" de *Ilusões do mundo* (Rio de Janeiro, Nova Aguilar, 1976, p. 10):

> Registro do mundo circundante, a crônica de Cecília Meireles é também uma projeção de sua alma no universo das coisas. Alimenta-se da referencialidade, das coisas concretas, de fatos e situações que envolvem o ser humano em seu comércio diário, mas matiza subjetivamente tudo isso. No comentário da vida e suas situações risíveis e pungentes, de entusiasmo ou revolta, tem sempre Cecília Meireles uma ironia sem travo ou uma ternura sem excesso, mas que sentimos morna e brotada de uma aceitação maior do mundo e seus desconcertos e do pobre ser humano que se esforça nos labirintos da vida.

Toda a captação poética da realidade, numa determinada época, aqui se encontra, não apenas orientada para várias nações por onde andou e refletiu, como Portugal e Açores, com muito encantamento pelo povo que nos deu origem e de que descende; Estados Unidos da América e México, onde proferiu magníficas conferências sobre cultura brasileira, a todos impressionando pela sua inteligência e sensibilidade; Paris, a eterna capital da cultura no mundo; Roma, onde a arte poreja a cada esquina; Espanha, sempre gloriosa; em suma, Índia, Israel, Goa, Holanda, Bélgica, Suíça, Montevidéu, Buenos Aires... E também pelo Brasil afora, valorizando cada momento de sua vida, em contato com pessoas e diversificadas culturas, em que penetra com olhos de ver. Viajar com ela é conhecer o mundo, deliciar-se com magníficos instantâneos, percorrer grandes universidades europeias e americanas, participar de congressos internacionais, entrar em contato com personalidades de vários domínios da cultura, comer pratos exóticos, conversar com gente humilde do povo, admirar a paisagem e valorizar o tempo humano, em sua grandeza e em sua precariedade. Aliás, quanto à expressão do tempo, um dia ouvimos da própria Cecília Meireles, nos idos de 1963, ao comentar nosso artigo sobre o poema "Cavalgada", estampado no *Diário de Notícias* de 14 de abril: "O presente abarca tudo: o passado e o futuro nele penetram, porque só ele existe". E o poema dizia: "Escuta o galope certeiro dos dias/ saltando as roxas barreiras da aurora." E nós, pelo telefone, ouvíamos a voz de Cecília: "O presente, e só ele, abarca tudo." Por certo, os filósofos da existência, de todas as épocas ou em qualquer parte do mundo, não diriam isso de melhor forma. Nela o passado apenas sobrevive quando influencia o presente; o futuro só é real quando, igualmente, penetra no presente. Tempo, portanto, *é ser no presente*, abarcando a memória do passado e as esperanças do futuro. Não é propriamente a duração bergsoniana, cantada pelos românticos, o nervo criador e artístico de sua expressão de tempo humano na literatura, como não é a mola propulsora do futuro, como queria Ernst Bloch, o tempo que existe. Para ela, como para qualquer filósofo da existência, *tempo é estar sendo,* já que o presente (e só ele!) abarca tudo, como centro ontológico do próprio ser. Veja-se: "Não há passado/ nem há futuro./ Tudo que abarco/ se faz presente." Também em suas crônicas, de complexa expressão temporal, o presente vai ser o tempo que verdadeiramente terá existência, mesmo quando nele se incorpora o passado, numa concepção existencialmente cristã, como o leitor verá, deliciando-se com as páginas maravilhosas deste livro, que nada tem de propriamente turístico ou vulgar, mas apenas de eterno.

Em conclusão, o *antiturismo* (e aqui se espera que o leitor desprevenido ou ingênuo não se assuste com a expressão, aparentemente paradoxal) de Cecília Meireles está bem exposto na crônica "Os museus de Paris", em que se lê: "Tudo quanto aprendi até hoje – se é que tenha aprendido – representa uma silenciosa conversa entre os meus olhos e os vários assuntos que se colocam diante deles, ou diante dos quais eles se colocam." E acrescenta, em seguida: "De modo que o 'cicerone', por mais que grite, não me atinge..." No final da crônica, chega a ser deliciosamente irônica com os apenas turistas: "Alunos aplicados, fizeram todos os movimentos necessários para isso: cabeça para cá, cabeça para lá, meia-volta à direita – e agora, atenção, para a sala seguinte!" Como se vê, antes da leitura deste livro de crônicas de viagem, será preciso atentar bem para a distinção, preliminar, entre *turista* e *viajante,* dando-se ao último termo o sentido profundo que a extraordinária "pastora de nuvens" sempre lhe deu. E boa viagem a todos!

Leodegário A. de Azevedo Filho

Crônicas de viagem | 2

Esta triste cidade

Tínhamos orgulho desta cidade: os mais antigos, os viajados afirmavam com sapiência não haver nada que se comparasse à Baía de Guanabara: nem Nápoles nem Alexandria... A curva d'água se arredondava com a nitidez de um espelho, com a tranquilidade de um céu.

(Então, cada um começou a empurrar as águas da enseada para longe, acabaram-se os estetas, vieram os técnicos, os práticos, e todos os dias – há quanto tempo? – nascem e morrem estranhas ruas, avenidas, transversais, pontes, passagens subterrâneas – que sabemos nós! – como se tudo fosse obra de crianças em férias, nas areias de uma praia sem dono.)

Tínhamos orgulho de umas pequenas coisas sentimentais, herança de um passado nem muito remoto nem muito rico: o Aqueduto, a praça Quinze, o Passeio Público, algumas igrejas...

(Então, transformaram o Passeio Público em feira variada; modificaram o Aqueduto; e da praça Quinze fizeram essa monstruosidade inconcebível que obriga o passante a pensar nas doenças que estão afetando a sensibilidade brasileira.)

Mas tínhamos orgulho, principalmente, do nosso povo. Éramos a gente mais hospitaleira da terra; gente sem preconceitos; com verdadeiro amor à liberdade e à justiça; e tão bem-intencionada que escrevera na sua bandeira "Ordem e Progresso"– norma discreta e honesta, sem ênfase demagógica, sem exclamação retórica, simples definição de um programa de vida.

(Então, então... é isso que se vê...)

Tínhamos orgulho da boa gente simples. Simples mas honrada. Pobre mas limpa de coração. Era no tempo dos pretos de alma branca e dos anjos de cara suja!

(Então, aumentaram as lambretas, os automóveis, prosperou a indústria da maconha, as encantadoras mocinhas dos bairros, que pulavam corda e namoravam da janela, querem ganhar concursos de beleza e andar vestidas de rainha, depois de mostrarem seus nodosos joelhos e cotovelos à plebe esfaimada dos torcedores...)

Tínhamos certeza de que, numa rua escura desta cidade, o único assombro possível seria uma alma do outro mundo: elas tomavam táxis, saltavam no Caju, evaporavam-se...

(Então, as almas desapareceram, e os viventes que hoje aparecem estão todos armados de facas, punhais, revólveres de todos os calibres. Pedem relógios, carteiras, qualquer embrulho, só para começo de conversa, – porque logo matam, por matar, e nem o que pedem levam...)

Quem foi que fez isto à Heroica e Leal Cidade de São Sebastião do Rio de Janeiro? Esquecemo-nos do seu aspecto pelo relativo conforto que alguns, interiormente, apresentam; pelo esforço de beleza que representam certos pórticos, certos corredores...

Mas, em alguns pontos, a cidade transformou-se em labirinto: galerias de cimento que nos interceptam a vista por todos os lados. E, quando se alcança a praia, é ainda o paredão de cimento que corre, de um extremo a outro, afogando tudo, como fortaleza interminável.

Os bairros imitam-se uns aos outros, nas últimas novidades. Todos os sobrados quiseram ser palacetes; todos os palacetes querem ser arranha-céus, e, como tabuadas de multiplicar, – no sentido verdadeiro e no figurado – os arranha-céus querem devorar a linha final da Tijuca e do Andaraí, uma vez que já pelo outro lado devoraram tudo...

Numa cidade deve haver lugar para todas as coisas. Esse é o encanto de Amesterdão, surgida, realmente, do nada, da areia, sem florestas, sem rochedos, sem horizontes. Ela guardou suas antiguidades, como arquivo precioso, e vai construindo o que lhe falta, sucessivamente. Cada século vai sendo aumentado, como na casca das árvores, em camada periférica. E o viajante para extasiado, diante da sua ordem, da sua distinção, da sua harmonia. Uma cidade inteligente.

Aí é que o forasteiro, vindo da cidade louca, dilata o peito num suspiro triste de recordação. E sofre por sentir perdida a beleza – tão copiosa, tão prodigiosa – da cidade em que nasceu.[2]

---

2   Com letra de C.M., lê-se:"para a revista *Manchete* de H. Pongetti. Entregue a 16-4-52." (N. O.)

Lamento pela cidade perdida

Minha querida cidade, que te aconteceu, que já não te reconheço? Procuro-te em todas as tuas extensões e não te encontro. Para ver-te, preciso alcançar os espelhos da memória. Da saudade. E então sinto que deixaste de ser, que estás perdida.

Ah! cidade querida! edificada entre água e montanha, com tuas matas ainda repletas de pássaros; com teus bairros cercados de jardins e pianos; com tuas casas sobrevoadas por pombos, eras o exemplo da beleza simples e gentil. De janela a janela, cumprimentavam-se os vizinhos; os vendedores, pelas ruas, passavam a cantar; as crianças eram felizes em seus quintais, entre as grandes árvores; tudo eram cortesias, pelas calçadas, pelos bondes, ao entrar por uma porta, ao sentar a uma mesa.

Bons tempos, minha querida cidade, em que éramos pobres e amáveis! Sabiam ser alegres, mas não tanto que ofendêssemos os tristes; e em nossa tristeza havia suavidade, porque éramos pacientes e compreensivos. Acreditávamos nos valores do espírito: e neles fundávamos a nossa grandeza e o nosso respeito. Mesmo quando não tínhamos muito, sabíamos partilhar o que tivéssemos com amor e delicadeza. Passávamos pelo povo mais hospitaleiro do mundo, mas esquecíamos a fama para não nos envaidecer com ela.

Ah! cidade querida, tinhas festas realmente festivas, com sinos e foguetes, procissões e préstitos, comidas e doces tradicionais. Continuávamos o passado, embora caminhando para o futuro. Tínhamos carinho pela nossa bagagem de lembranças, pela experiência dos nossos mortos, que desejávamos honrar. Prezávamos tanto os nossos avós como desejávamos que viessem a ser prezados os nossos filhos. Éramos elos de uma corrente que não queríamos, de modo algum, obscurecer. Éramos modestos e cordiais, sensíveis e discretos.

E eis que tudo isso, que era a tua virtude e o teu encanto, desapareceu de súbito, porque uma ambição de grandeza e riqueza toldou a tua beleza tranquila. Como resistiriam os pássaros e as flores aos teus agressivos muros de cimento armado? Que aconteceria às crianças, fora desse mundo infantil em que descobrem a vida, dia a dia, em cada pequena lição da natureza? E aos jovens, bruscamente desorientados? Ah! não se pensou nisso...

E assim, minha querida cidade, a juventude tem perdido a generosidade, a maturidade tem esquecido sua prudência, e a velhice, sua sabedoria: todos aqui têm ficado menores, e mais pobres, à medida que aumentam a tua riqueza e a tua grandeza. E então eu me pergunto que grandeza, que riqueza são essas que fazem diminuir e empobrecer os teus habitantes. Que fundamento funesto existe nessa riqueza e nessa grandeza que, à sua sombra, homens se tornam mesquinhos, perversos, ardilosos de pensamento e ferozes de coração.

Ah! cidade querida, bem sei que tudo isto foi feito por aqueles que não te amaram: os que não te entenderam nem protegeram. Mas, prisioneira agora de tantas emboscadas, – poderemos ainda salvar-te? arrancar-te às falsidades em que te enredaram? restituir-se o antigo rosto, simples e natural, onde beleza e bondade se confundiam? Poderemos tornar a ver-te, cordial e afetuosa como foste, sem pecados e crimes em cada esquina, – sem este peso de egoísmo e vaidade, de cobiça e de ódio que hoje toldam e enegrecem a tua verdadeira imagem?

[1952]

A heroica e leal cidade

Todos sabemos que passou um temporal sobre esta cidade, deixando-a mais martirizada que o santo que lhe dá o nome. Seta de cá, seta de lá, as ruas ficaram como paliteiros. Paliteiros de gigantes, naturalmente, pois nos seus buracos não ficam apenas saltos de sapatos, mas rodas de automóveis, sem jamais se encontrar alcaide para a devida indenização.

Quem sai em dia de chuva nunca sabe se lhe vai acontecer o mesmo que àquele pobre Bitu que as "águas do monte" (do morro do Castelo) levaram, e do qual não se sabe mais nada, pois aquela cantiga do "Vem cá, Bitu", não pode ter nada com ele. Seria demasiada ironia.

Mas, enfim, os que não desaparecem nos bueiros voltam para casa irreconhecíveis que nem cavaleiros medievais, todos cobertos de armaduras de lama, e só não metem medo aos meninos porque as crianças de hoje não têm medo de nada, e até costumam meter medo aos mais velhos com o que aprenderam a fazer com o cinema ou a televisão, – se é que não são dons de nascença, prova de que o nosso bonde chegou ao fim da linha e está voltando e virando os bancos ao contrário.

O temporal não se contentou em destruir muita coisa desta cidade que fazemos o possível por amar como a uma pessoa querida que teve varíola ou perdeu um olho ou uma perna, e o nosso coração transborda de compensações por ela, embora a nossa vista sofra extremamente com o seu aspecto. O temporal levou a curva daquela baía famosa outrora, mais bela – dizia-se – que a de Nápoles ou de Alexandria, e que deixava os estrangeiros extasiados, no suave turismo de outrora. O temporal levou morros, trocou de lugar os monumentos: enfim, foi um furacão que andou por estes montes e vales, dançando solto, como é próprio dos furacões.

Este, porém, era um furacão muito caprichoso: fez saírem do chão coisas que nós nem imaginávamos que lá estivessem, como aquele esqueleto de dinossauro que, não se sabe bem para quê, se estende pela praça Quinze, ameaçando com ódios fósseis o mar e a terra... Fez sair também, amarrada e cativa, a princesa Isabel, que foi a "libertadora", e que não merecia tal sorte, agora...

Mas a heroica e leal cidade continua impávida e bela, azul e verde e luminosa, resistindo em beleza a esses sucessivos agravos. Levantam-se edifícios monstruosos, de cores horrendas, com decorações de pesadelo: e a cidade se sobrepõe aos arranha-céus, como se deixasse de pousar na terra, e existisse suspensa no ar. Ela paira acima de pontes e monumentos, de ruas esburacadas, de paredes riscadas, de árvores mutiladas e lamaçais. Ela paira acima dos veículos que correm desvairados: e a cidade se sobrepõe aos arranha-céus, como se existisse suspensa no ar. Ela paira acima dos veículos que correm desvairados como formigas elétricas. Ela paira acima dos temporais, das loucuras, ela é formosa mesmo com suas matas devastadas, com suas favelas, com seus sofrimentos acumulados. Ela paira acima dos homens que a maltratam, dos acontecimentos que a afligem, ela está acima do presente, como do passado e do futuro. Se a contemplarmos num domingo tranquilo, de um lugar alto, onde se possa refletir, veremos como uma cidade pode ir sendo transformada em símbolo; e, arrancando-lhe as setas do martírio, vemo-la em sua formosura natural, com águas, montes, plantas, como foi e como podia ser, se a tivessem amado, se a soubessem amar!

[1952]

Crônicas de viagem 2 ✦ 23

De Paris

De Paris, todos sabem tudo, ou julgam saber. Conhecem-se os restaurantes em que se servem rãs e se lê o menu com um binóculo, ou os que têm como atração cortar a gravata do freguês, à entrada; conhecem-se os que serviam de ponto de encontro às celebridades do século XVIII, e todos ficamos ilustres, quando lá vamos; também se conhece cada *bistro*, nos lugares mais inacreditáveis, e com os nomes mais espantosos, – mas isso é matéria para os guias de turismo.

Todos conhecem os grandes teatros, e os mil lugares de representação que a febre artística inventa por onde pode, seja no adro das igrejas, seja em salas do subsolo. É uma das atividades que demonstram como se pode tirar do nada alguma coisa, e de que modo o espírito criador pode impor suas realizações, com o mínimo de elementos materiais.

Dos museus, não se pode falar, porque seria fazer catálogos de obras--primas. Infelizmente, os bandos turísticos que desfilam em passo de ganso pelas salas e pelos corredores perturbam todo o efeito de cada quadro, – que é assunto de contemplação, e não desprende sem mistério de repente, por mais que se esforce o guia, também já fatigado dos visitantes.

É uma dor no coração ver que aqueles trágicos lugares por onde Maria Antonieta andou sofrendo são dos mais belos para serem agora visitados, mesmo quando o guarda, com certo ódio, – talvez profissional – dramatize episódios violentos, feroz ainda a outra realeza, testas coroadas, mulheres soberbas e outras maneiras de dizer.

Mas os concertos de Sainte-Chapelle, como dentro de um cofre de pedras preciosas, à luz de altos candelabros, com um programa de música sacra, são, como outros concertos organizados nos velhos castelos da França, uma das maiores alegrias para quem busca, por onde vai, uma oportunidade de profundo amor.

Alta noite, – sossegada a inquietação das ruas; os comerciantes – sempre muito aborrecidos com a clientela... dormindo sonhos irritados, sem discussão sobre qualidades e preços; os turistas, cansados de percorrer as lojas desses mesmos comerciantes; – os estudantes cansados de não ter estudado nada e procurando a glória com tanta convicção; – os existencialistas já fatigados de o tentarem ser e da fadiga de serem contemplados pelos turistas, – Paris, à porta da Notre-Dame, adquire um ar do sonho ilimitado, com a ressurreição de todos os seus valores, de toda a sua História. Mas isso também não se pode contar assim com duas palavras... E, afinal, falar da França não é falar de Paris, mas de uma terra formosa, formosa e famosa – Oropa, França, e Bahia! – com mil aspectos, todos atraentes, que não se concentram numa capital nem numa cidade, mas se multiplicam pela província, em redor de uma igreja, de um castelo, à beira de um rio, à beira do mar, de uma terra toda lavrada, com as alegrias do trigo e da uva, que lhe dão esse ar clássico que é o seu ar de eternidade.

[1953]

Entre o relógio e o mapa

Não há pior coisa, para uma pessoa imaginativa e andarilha, que viajar com hora marcada. Que diz o ponteiro do tempo? Quase 3. Que diz o ponteiro da gasolina? Tanque cheio. Poderíamos agora mudar de estrada, e procurar este caminho em zigue-zague onde se lê no mapa "Barbadillo del Mercado". Pois não saberemos quem é esse "Barbadilho" nem que "Mercado" é o seu, porque hoje mesmo temos de chegar a Salamanca.

Mas a alma protesta. Ainda há pouco, em Burgos, eu queria saber se aquele "Güemes" que estava numa porta era o "Gómez" de Doña Jimena. Mas não há tempo. Adeuses, adeuses. Há muitos meses estou vivendo de adeuses. E de crescentes saudades.

Entre Burgos e Salamanca, Valladolid é um lugar de sonho: uma sala com muitas crianças; quadro-negro, mesa, armário, globo... A sombra de uma professora que vai recitando a vida de Cristóvão Colombo. "Nasceu em Gênova, Itália, e morreu em Valladolid..." (E as meninas imaginando os Reis Católicos, e o porto de Palos, e as caravelas como grandes pássaros de asas abertas, procurando uma árvore de terra onde pousar...)

Mas a estrada é amarela e deserta. Uma estrada onde a cada instante se pensa na fragilidade de tudo. Areias que o vento move. Arbustos secos que o vento inclina. Diálogos de sol e pó.

Ved de cuán poco valor
Son las cosas tras que andamos
Y corremos...

Dize-o tu, Colombo, que andaste por estes lugares com a imaginação em febre, – negado, recusado, com teu pensamento palpitante de mundos... Dizei-o vós, d. Fernando e d. Isabel, com vossos nomes a voarem tão longe, no alto das caravelas de um infeliz navegador!

Tantos Marqueses y Condes
Y Barones
Como vimos tan potentes,
Di, muerte, do los escondes
Y los pones?

Começa apenas a entardecer, quando a tabuleta da estrada anuncia Valladolid. Não entraremos na cidade onde morreu Colombo e nasceu Felipe II. Pararemos apenas num recanto da estrada, à porta de uma pobre casa, onde anunciam gasolina. Vem uma mulher atender-nos, de idade indefinida, muito digna, em seus andrajos de cores neutras. Tem-se a impressão de que não haverá naquele depósito gasolina bastante para o tanque de um carro. Impressão de viajante assustado com os longos campos vazios de Castela, – essa grande solidão dourada que não promete nenhum socorro, nenhuma sombra, nenhum eco.

Daqui a pouco, aparecerá na estrada, diante de nós, outra tabuleta: "Tordesillas". "Tordesillas", a do tratado dos Reis de Espanha e Portugal; "Tordesillas", a de dona Joana, a Louca, viajando com o cadáver de seu marido, o belo Filipe, de burgo em burgo, aliada à morte, que assim lhe permitia agora trazer constantemente ao lado esse amor que fora tão fugitivo e inconstante.

Mas que resta do amor, também? Que resta de uma desgraçada rainha, que resta de um rei ambicioso, que resta desse doloroso passeio sentimental, pela altiva Castela?

Que se ficieron las llamas
De los fuegos encendidos
De amadores?

De novo, no mapa, "Madrigal de las Altas Torres" – esse nome que parece um título de poema. Ah! se desviássemos para a esquerda, certamente conseguiríamos chegar lá, mesmo que fosse por uma estrada secundária! E estaríamos na terra de nascimento de Isabel, a Católica. "Madrigal de las Altas Torres!" Talvez sem Torres. Talvez sem Madrigal. No entanto, o lugar de sonho para dona Joana, a Louca, ficar cantando para o marido morto e embalsamado, canções de amor e ciúme e desespero, na peregrinação da loucura, com a sua triste voz de princesa desprezada.

Ainda é dia, quando chegamos a Salamanca. Escurece muito tarde, por estes lados, no verão. Atravessamos a Plaza Mayor, e a primeira pessoa que avisto é d. Miguel de Unamuno, que, no entanto, está morto há muitos anos. Mas Salamanca é sua. Pertence-lhe por direito de amor.

remanso de quietud, yo te bendigo,
mi Salamanca!

Ele mesmo a chamou "sua", – e é agradável recordar a bela figura do homem que viveu entre estas altas fachadas cobertas de recamos de pedra.

Olhando as mesas do Café, o primeiro vulto que avistamos é o seu, o de d. Miguel, jogando xadrez com o enigmático d. Sandálio Cuadrado y Redondo. E ponho-me a pensar se não devíamos reler Unamuno, – todos, todos e imediatamente. Se não aprenderíamos muito mais coisas em seus livros do que possa ter ensinado na sua cátedra. Se não aproveitaríamos todos, moços e velhos, com suas observações irônicas e profundas. Perderíamos muito da nossa vaidade, voltando ao seu convívio. Recordaríamos muitas noções que talvez já tenham sido nossas, mas que andam veladas ou esquecidas. Voltaríamos, talvez, a amar certa pureza imanente nas coisas e nas pessoas, e, depois de tantas experiências perigosas em assuntos de arte e de vida, talvez recuperássemos uma visão mais perfeita dos labirintos por onde frequentemente nos embrenhamos.

Oh! Salamanca! entre tus piedras de oro
aprendieron a amar los estudiantes...

Estudantes, ainda não vimos; mas as pedras estão apagando seus últimos clarões dourados, porque a noite se aproxima, uma bela noite que desce das casas como esses brocados que se estendem pelas janelas em dias de procissão.

E quando, afinal, o carro para à porta do hotel, aparecem as crianças – essas crianças que em todas as partes do mundo, a qualquer hora, sempre aparecem quando para um automóvel, e olham para os viajantes, quem sabe com que nostalgias também de partir, de ver outros lugares, de saber como é este maravilhoso mundo!

> *Este mundo bueno fué*
> *Si bien usásemos d'el...*

E com as crianças desaparecem todas as possíveis fadigas de um dia inteiro de corrida apostada entre o relógio e o mapa. E tem-se vontade de cantar uma canção muito antiga, onde parece andar uma lembrança das navegações de Colombo:

> *En Salamanca tengo*
> *ten, te, te,*
> *tengo sembrado*
> *azúcar y canela,*
> *pimienta y clavo...*

Talvez, porém, as crianças não se lembrem dessa cantiga, que é tão velha, e seria uma tristeza, ao entrar em Salamanca, sentir perdidas essas palavras onde se esconde, como outrora no horizonte, esse Oriente que eu não paro de amar – embora sem ser pela pimenta nem pelo cravo nem pela canela...

E eis que vamos, como todo o mundo, passear pelas arcadas da Plaza Mayor, e admirar a variedade de sapatos que os espanhóis inventam, e as joias e as modas que se usam por aqui. É um passeio muito agradável, que me parece extremamente popular. Tão popular que um homem que deve ser da Guarda Civil, – parente daqueles que cantou García Lorca – veio pedir a um casal, que lentamente passeava de mãos dadas, para separar as mãos, – mãos que pareciam a própria imagem da ingenuidade. Isso em Salamanca, onde d. Miguel disse:

> *Entre tus piedras de oro*
> *aprendieron a amar los estudiantes...*

É verdade que acrescenta:

> *... mientras los campos que te ciñen daban*
> *jugosos frutos...*

Certamente, aqui, na Plaza Mayor, é que estão proibidas as lições de amor; deve ser isso. Aqui é só para vermos os sapatos, os anéis, os lenços de seda, nas vitrinas iluminadas.

[1953]

"*Castilla, la bien nombrada...*"

Vista das nuvens, Castela tem a cor dos desertos, – pálida; mas não a fluidez que, mesmo de muito longe, se sente nos diálogos da areia com o vento. É dura, nítida, óssea. Pelo menos assim me pareceu, todas as vezes que a olhei das nuvens. E apenas uma vez me lembro de ter visto boiar, no seu límpido céu, uma perfeita nuvem, toda branca, de imóvel contorno, igual a uma sereia.

Vista de perto, Castela é assim mesmo: ressequida, amarela, hirsuta, – e seus campos não parecem feitos para flores nem idílios, mas para batalhas antigas, com espadas, cavalos e versos. Para as batalhas do Cid.

Tinha razão Fray Martín Sarmiento quando, há dois séculos, observava o gênio da língua castelhana em sua tendência para o ritmo da redondilha.

> *... los Españoles son tan aficionados a este metro, que ni pueden hablar, ni escribir en prosa, sin que declinen naturalmente en sus periodos a esta medida...*"

E até citava o texto de uma lei, assim redigida:

> *Quien mete yeguas, ó bués,*
> *Ó vacas, ó otro ganado,*

En miese ayena, ó en vina,
Peche todo el daño, quanto
Fur asmado.

Pode ser que a marcha por estas calcinadas terras inspire esse ritmo, como se diz que o *hidá,* canto dos condutores de caravanas, adquiriu forma e cadência com o passo dos camelos, no deserto árabe.

E, enquanto o automóvel desliza por estas amarelas solidões, ponho-me a pensar se o ritmo de redondilha, que é o do *Romancero,* poderia medir igualmente o fragor das batalhas do Cid, como mede a sua narrativa. Ah! é que a vida cantada é outra coisa... E o jovem herói que acredita no poder do direito, para vencer o inimigo de seu pai, acredita também na espada com que o degola – e

va tan determinado
que en espacio de una hora
mató el conde y fué vingado.

Nesse ritmo de redondilha seguimos pelos campos secos, sob uma luz fulgurante que deve ter brilhado, há quase mil anos, não digo nos olhos de d. Rodrigo Díaz de Bivar, – que só procuravam mouros e inimigos, – mas nos de Babieca, – se é que os cavalos dos heróis ainda pensam em prados verdes e arroios...

Mas agora estou vendo nas mãos do jovem Cid a cabeça do conde Lozano, e d. Ximena a bradar pelo pai morto, e logo a pedir ao rei para casá-la com o assassino, e o bom rei, perplexo:

Siempre lo he oído decir
y ahora veo que es verdad,
que el seso de las mujeres
no era cosa natural:
hasta aquí pidió justicia,
ya quiere con él casar...

É certo que o Cid tinha as qualidades de nobreza que inspiram as epopeias –

Maté a tu padre, Jimena,
pero no a desaguisado,

matéle de hombre a hombre
para vengar un agravio.

– o que não impede que tivesse um comportamento muito reprovável, diante do rei Fernando e do papa, sem beija-mão, sem joelho em terra, com pontapés na cadeira de marfim do rei da França, e bofetadas num duque. Era um homem endiabrado.

Mas o homem que no alto de uma carroça nos está acenando com a mão, e nos quer falar, naquela imensidão amarela e deserta é *"más cortés y mesurado"*: e a nossa conversa perde-se no dia ardente da velha Castella, e o que se continua a ouvir é o de outrora, é a agonia do bom rei Fernando, que reforçaria ao morrer sua má impressão quanto ao juízo das mulheres, pois, se Ximena quis casar com o assassino do pai, a princesa Urraca veio brigar, à beira do seu leito de morte, por questões de partilha. E que grande briga, já de feminista precoce:

... y a mí, porque soy mujer, dejáisme desheredada!

E o bom rei Fernando sem poder morrer em paz, porque a princesa o ameaça com extravagâncias avançadíssimas:

Irme he yo de tierra en tierra
como una mujer errada; mi lindo cuerpo daría
a quién bien se me antojara,
a los moros por dinero
y a los cristianos de gracia...

Felizmente o rei não repartira todo o reino: ainda lhe restava Zamora,

Zamora, la bien cercada...

Além disso, dona Urraca tinha seu mal de amor. O Cid casara-se com Ximena, – deixara a filha do rei, casara com a de um vassalo...

O "Parador" está sob a invocação do Cid: tudo por este caminho recorda obstinadamente o Campeador bravio, para quem o direito e a justiça tinham de ser honrados, embora, – ai de nós! – para fazê-lo, estivesse a cada passo desembainhando suas poderosas espadas, a Tizona e a Colada.

Neste jardim tão belo, poderíamos encontrar o bom cavalo Babieca, a abanar a cauda e a mexer os olhos, por entre as espessas pestanas. Mas o dono pediu que a enterrassem juntamente com ele, para que os cães não lhe devorassem a carcaça... – longe anda Babieca, sombra cavalgada por uma sombra, nestas estradas de Castela que vão dar a Burgos.

E Burgos aparece, com sua igreja ruiva, levantando suas torres como um bosque de ciprestes dourados. Uma igreja que se foi construindo em três séculos, com esse minucioso amor com que outrora se levantavam do chão palácios, fortalezas, catedrais. É diante destes monumentos que nos ocorre um melancólico pensamento sobre a vida contemporânea: que restará destas pressas de hoje, deste breve existir desperdiçado em coisas sem nenhuma importância? Este século será uma vertigem, um vazio, na paisagem inexorável do tempo. E nessa paisagem continuarão a perdurar estas grandiosas construções, muitas vezes anônimas, que falam de épocas onde o sentimento de beleza era um bem comum, pois que cada artesão sabia pousar uma pedra, debuxar uma coluna de flores, talhar o rosto de um anjo ou o corpo de um santo e de um rei. Hoje, que a máquina produz milhões de monstruosidades, para deseducar milhões de habitantes da terra, – dá vontade de chorar, diante de uma obra de arte, que vai vencendo as inconstâncias das eras, e conserva o testemunho de povos superiormente educados na compreensão da Beleza, que é, afinal, uma superior compreensão da vida.

Burgos está silenciosa, e não se vê muita gente. Oh! que felicidade encontrar ainda uma rua deserta, onde qualquer vulto que assome tem a sua integral dignidade de figura humana, – com suas eventuais desgraças e felicidades! Mas, embora esteja silenciosa, o *Romancero* fala aqui, poderosamente:

> *Grande rumor se levanta*
> *de gritos, armas y voces*
> *en el palacio de Burgos*
> *donde son los ricos hombres...*

Diante destes arcos, destas portas, destas escadas, volta-se ao passado heroico, à procura do lugar das epopeias, para completar no cenário próprio os versos longamente amados:

> *En Burgos está el buen rey*
> *asentado a su yantar,*

cuando la Jimena Gómez
se le vino a querellar...

Vê-se chegar Alvar Fáñez, carregado de cativos, cavalos e outras riquezas para o rei, – as ofertas do Cid desterrado. E tem-se vontade de subir para Toro e Zamora, terras de dona Elvira e dona Urraca, nesta ressurreição do *Romancero,* a reviver lutas de irmãos, com esse ambicioso *Don* Sancho que, desrespeitando o testamento do pai, ambicionava reunir nas mãos todos os reinos repartidos, – não apenas Zamora e Toro, mas León, Astúrias, Galícia, – ele, que recebera em herança "*Castilla, la bien nombrada...*"

E então, diante destas paredes esculpidas de Burgos, desta riqueza de arte guardada como em cofres de pedra rendada, fica-se mais triste: porque a arte e a beleza mudaram, perderam-se, corromperam-se. Mas a ferocidade ficou, – ficou a ambição, ficou esta sede de domínio e de império, mil anos depois do Cid, mil anos depois de tanto sangue mouro e cristão derramado por estes caminhos. Qual é, pois, a grandeza deste século, que não sabe fazer mais nada do que foi o esplendor dos outros, e não se corrigiu ainda deste desejo malsão de possuir, embora para perder, como perdem sempre todos os que um dia possuíram?

[1953]

Quando o viajante
se transforma em turista

Não, por estes amarelos campos solitários que vão de Salamanca a Ciudad Rodrigo, não era o Lazarillo que nos chamava: era um homem que, do seu carro, nos fazia sinais, como numa cena bucólica, – pois o seu carro parecia muito antigo, e ainda mais antigo o animal que vagarosamente o ia arrastando. Que queria de nós, naquela estrada deserta, o velhote de cara avermelhada que de longe acenava?

É certo que, quando o automóvel, assustado com as intenções do guarda de Salamanca, tomou embalagem e partiu, tanta era a sua velocidade e tão séria a sua decisão de não se deter que nos esquecemos do lugar em que guardáramos toda essa papelada que se costuma apresentar aos exigentes inspetores que esperam os viajantes em cada fronteira. Agora que nos aproximávamos de Portugal, queríamos tudo ao nosso alcance: pois, se um brasileiro deve sempre estar vacinado contra a febre amarela, um brasileiro que vem do Oriente deve provar que se imunizou devidamente contra todas as variedades de febres e pestes de que são acusadas essas maravilhosas terras.

Pois foi para evitarmos dificuldades na fronteira próxima que paramos o carro, por um momento, depois de o termos convencido de que o guarda cinzento de Salamanca já estava muito além do nosso horizonte. E o homem que não era o Lazarillo veio andando, enquanto o seu burrico melancólico mergulhava o focinho nas ervas secas que cobriam metade da carroça.

Eu não vou dizer aqui a nossa conversa com o bom velhote. Na verdade, ele não era o Lazarillo, prezado leitor. Mas bem o podia ser. E como há situações humanas que servem para fazer amigos instantaneamente (amigos que nunca mais se encontrarão, que nem sabem os nomes uns dos outros etc., – o que, aliás, não tem importância nenhuma) – o homem contou-nos tais histórias que sentimos ser a antiguidade do nosso conhecimento mais remota que as aventuras do Cid Campeador. E, finda a sua narrativa, e firmada a nossa amizade de peregrinos de Castela, – encontrados também os nossos inúmeros atestados de exóticas vacinas – subiu cada um para o seu veículo, entre muitos *saludos, adioses,* e votos recíprocos de eterna felicidade.

Depois, o automóvel ganhou velocidade, e o carro bucólico foi ficando longe, com o seu cocheiro, com o seu burrico, na paisagem severa do campo seco. Meio oculto pelas ervas, foi rodando para outro lado o velho carro, conduzindo suas histórias humanas. Porque era um carro vazio. Um carro que apenas rodava. Ia... Para um lugar que certamente não existe. E, portanto, não chegaria nunca. Essa era a maior maravilha. Ah, Espanha!

Quando entramos em Ciudad Rodrigo, apareceram muitos meninos, que pulavam, que nos queriam também contar histórias, que nos queriam mostrar muitas coisas. Mas, a essa altura, já tínhamos perdido a nossa categoria honrosa de viajantes, e estávamos reduzidos à degradante condição de turistas, turistas odiosos, com hora marcada na fronteira, e uma noção de fome clara e invencível como um arrebol. (Na Espanha, a própria sensação de fome tem rasgos líricos.)

Pois os meninos todos sabiam muito bem onde ficava a pousada que procurávamos, e caíam sobre o automóvel como um bando de anjos, e já não sei se o motor ainda funcionava ou se íamos transportados, aladamente, para o castelo de Enrique II. Como, porém, longe estivéssemos ainda do meio-dia, entrou-nos n'alma a cruel suspeita de que chegávamos a hora assaz matinal para um almoço em terras de Espanha. Quando muito aquilo seriam horas para as *niñas* entreabrirem as cortinas do leito e receberem o seu matinal chocolate das mãos rosadas das guapas mucamas. Os próprios meninos pareceram subitamente céticos, quando ouviram falar em *almuerzo*, num tempo que devia ser

Crônicas de viagem 2 ✦ 37

de *desayuno...* E a pessoa que chegou à porta do castelo para saber a causa de tanto alvoroço, fitando-nos com seus olhos do século XIV, e meditando sobre as relações possíveis entre a fome que trazíamos e os recursos de que o Castelo dispunha para apaziguá-la, parecia não encontrar uma solução feliz. De modo que cheguei a pensar que aquele cavalheiro fosse um dos patrões do Lazarillo, aquele que jamais comia, mas apresentava sempre uma grandiosa e senhoril figura.

No entanto, a fronteira se aproximava com tamanha veemência, as possibilidades de estalagens portuguesas eram tão remotas, a nossa vil condição de turistas nos obrigava a pensar nas coisas banais da vida com tanta exatidão que até falamos em ovos e presuntos, batatas e salpicões, pão e vinho e tudo quanto estivesse ao alcance dos últimos duros e maravedis que nos restavam.

Nessa altura, o castelão fez um gesto de ponte levadiça, deixou-nos passar, pediu-nos imensas desculpas por não nos poder receber condignamente, devido à hora *tan temprana* (eram apenas onze...), deu umas ordens a invisíveis vedores, moços e bichos da cozinha, e convidou-nos com a fidalguia castelhana a visitar a sua pousada, enquanto as terrinas e covilhetes se apressavam lá dentro, com as viandas e os ragus que confortariam os fatigados viajantes.

Ou porque o nome de Enrique II, com aquelas punhaladas que deu no meio-irmão não seja um grande aperitivo; ou porque a fome fosse realmente desorientadora, o tapete da grande sala nos pareceu muito antipático. Mas, em compensação, e não obstante aqueles dois motivos, os quartos eram agradáveis, com belas camas verdes, e o sossego em redor ia crescendo tão lindo, tão lindo como um jardim de rosas. E a moça da pousada, sem dúvida nenhuma era aquela que

> *Llorosa se sienta*
> *Encima de un arca,*
> *Por ver a su huésped*
> *Que tiene en el alma...*

Era essa moça pálida com saudade do passante que parte,

> *Que canta bonito*
> *Y tañe guitarra...*

e que não a leva nas suas andanças, por mais que esteja ali morrendo de amor, em silêncio.

> *Mal haya quien fia*
> *De gente que pasa!*

De vê-la, assim pálida, branca, sensível, no seu impecável vestido negro, até esqueceríamos a fome e o horário, se não fôssemos turistas de má morte. Devíamos ficar ali, embora sem cantarmos bonito nem tangermos guitarra: devíamos ouvir-lhe as queixas,

> *Que pude hacer más*
> *Que dalle polaynas;*
> *Ponelle en sus puntas*
> *Encaxe de Holanda;*
> *Cocelle su carne,*
> *Hacelle su salsa...*

Devíamos ficar ali sentados, a ouvir a doce voz da água, sob a janela, uma voz antiga, de viola, em discreto contraponto.

Mas a própria moça pálida e fina, com suas mãos de cetim branco foi pousando na mesa um, dois, cinco, doze pratos diferentes, sempre pedindo muitas desculpas pelo que não havia, pelo que não estava pronto, – deixando-nos imaginar o banquete que nos acolheria se tivéssemos passado por ali à hora em que os espanhóis se sentam à mesa para verdadeiramente comer!

E com todos esses pratos que nem descrevo, e mais os *postres*, e as bebidas, e as desculpas, e o ambiente do castelo envolvendo-nos de lirismo e drama, e a moça pálida sorrindo-nos a uma distância de muitos séculos e infelizes amores, e o castelão solícito obsequiando-nos com mapas da Espanha, saímos da pousada, amaldiçoando a fome e o mostrador do relógio e o estado de turistas a que nos tínhamos rebaixado de maneira tão imperdoável.

Os meninos pulavam em redor de nós, pulavam por cima do carro, todos tinham asas, de modo que isso era o seu natural exercício; e Ciudad Rodrigo foi também ficando longe, e Portugal era logo ali adiante, e nós já estávamos com todos os nossos atestados de vacina e bom comportamento na mão. E fazia um sol, prezado leitor, que convidava a uma longa sesta, depois das viandas espanholas. E os guardas portugueses estavam com uma preguiça que se via na cara. E, quando viram que se tratava de brasileiros, não se importaram muito com os nossos atestados: o que eles queriam, unanimemente, era vir para o Brasil!

[1953]

Holanda em flor

O que me faz sofrer, na Holanda, é não ser água-fortista. Pontes, canais, desenhos da água, fachadas pontiagudas das antigas casas, torres de palácios e igrejas, relógios, chaminés, degraus de entradas e frontarias, árvores, realejos, carros, barcos embandeirados, guindastes, janelas, flores, ganchos, correntes, lampiões, telhados, tijolos, estufas de vidro, tudo solicita uma aptidão que não tenho, tudo é linear, fino, agudo, incisivo, com o lirismo do exato e minucioso, – um lirismo de pensamento mais que de coração.

Por sua vez, a luz da Holanda é uma luz para pintores: este ouro leve que pousa nas paisagens, nas pessoas, nos objetos, anunciando contornos e cores, e logo desaparecendo em redor, discretamente, como se vê pelas ruas, pelos interiores, e nos maravilhosos quadros dos grandes Mestres, nos museus.

Todos já viram os barcos transbordantes de flores, à beira dos canais; as nuvens de bicicletas que passam, resplandecentes como um fogo de artifício, pelas ruas cinzentas, impecavelmente limpas; as cortinas de todas as janelas, sugerindo o conforto da casa, com seus utensílios de cobre reluzente, e as naturezas-mortas da mesa: pão, queijo, leite, batatas; todos já viram, neste ou naquele quarteirão, o realejo grande como um altar, com suas volutas barrocas, douradas ou brancas, encher o bairro de melodias; todos já encontraram em alguma esquina, um casal vindo de Volendam ou de Marken, com seus socos, suas roupas coloridas, suas toucas, seus aventais, seus cabelos amarelos... – O que nem todos conseguem ver é a Holanda em flor, a Holanda coberta de tulipas, – porque a festa é rápida, o frio costuma ser grande, e o excesso de turistas, nessas ocasiões, cria o problema do alojamento.

Pois desta vez vemos as tulipas. Campos de tulipas. Imensos tapetes amarelos, vermelhos, roxos, brancos... A exposição de jardins, de Keukenhof, lembra logo a Holanda das quermesses: canteiros maravilhosos, repuxos, música de carrilhão tão alta e leve e fina que parece também de água, leilão de flores e as pessoas que passam com seus grossos casacos, chapéus de feltro de modelos inatuais, mãos vermelhas, cara tostada e feições rudes, – porque boa parte destes visitantes são cultivadores, autores destas plantas deslumbrantes que admiramos, e cujas cores e pétalas são eles que inventam, selecionando tubérculos e sementes, preparando híbridos, combinando água, terra, luz e amor, para obterem estes veludos e sedas, estes pistilos, estas meias-tintas das corolas, este perfume de mel.

Um dia, a flor se desenrola, e os olhos dos cultivadores estão sobre aquele segredo como sobre um tesouro fechado. Depois, é o esplendor de uns poucos dias: a felicidade de ter conseguido uma realização idêntica à de um poema, de um quadro, de uma estátua. Eis a flor na sua perfeição! Apenas, ai de nós! – a vida é breve, e mais breve a das tulipas, crisântemos, rosas, jacintos que vamos encontrando, parados na sua silenciosa beleza efêmera. Tudo isto é apenas um instante. Brilho, viço, vigor, tudo se inclina para a morte; e, então, os jardins se fecham, e quem passa de uma cidade para outra vê, depois dos esplêndidos tapetes de vivas cores, as flores murchas amontoadas em barcos, pelos pequenos canais: as flores que regressam à terra profunda, para o nascimento de outras primaveras...

Aprended, flores, de mi,
lo que va de ayer a hoy...

Nesta exposição de jardins, aparecem também esculturas, como complementos decorativos. Em diferentes estilos. Uma delas é um cachorrinho bastante complicado que, pela direita, parece um banco e, pela esquerda, um relógio. Uma senhora de espírito cartesiano e com um cãozinho de verdade na ponta de uma correia, perguntou aos circunstantes que lhe explicavam o singular objeto: "Então, se aquilo é um cachorro, isto que eu trago aqui, que será?"

A verdade é que um galgo não se parece com um buldogue, e a escultura não é, obrigatoriamente, a reprodução da aparência das coisas; razão pela qual voto pela escultura, pelo cãozinho *sui generis,* que não late nem morde, e está parado entre as flores e as pessoas, e de nós todos é o único futuro sobrevivente.

Ninguém cuide, por essa história do cãozinho, que a Holanda esteja distanciada das modernas preocupações de arte. Muito ao contrário, seus belíssimos museus, – que não me canso de amar, – com visitas orientadas de estudantes, suas exposições tão variadas me fazem crer que, em matéria de artes plásticas, este é um país onde muita coisa pode acontecer. Todos sabem como os interiores holandeses são sedutores, com suas cerâmicas, seus objetos de metal amarelo e de cobre, seus panos decorativos, suas rendas. E suas flores. Seus vasos de flores que se veem da rua, pousados no peitoril das janelas, sob o cruzamento das cortinas, seus ramos de flores nos aparadores, no meio das mesas, em qualquer canto onde ia ser sombra, e a sombra se transforma em corola vermelha ou branca, amarela ou roxa, e não deixa que anoiteça.

Este gosto pelas flores é tão generalizado que ninguém se escandalizará de encontrar a sala de espera de uma repartição pública ornamentada com um belíssimo ramo, numa grande jarra, na mesa central. Nem tampouco se as flores estiverem na mesa de trabalho de um alto funcionário, entre papéis oficiais, máquinas de escrever, fichários e arquivos... Mas, sem dúvida, o mais inesperado encontro com as flores, na Holanda, foi numa vitrina do açougue, cujo proprietário dispusera, exatamente como num quadro, uma grande posta de carne, e algumas especialidades de salsicharia à sombra de altas e formosas tulipas, ainda mais resplandecentes naquele ambiente nítido, branco e róseo.

Há sobretudo uma coisa adorável, na Holanda: a sensação de que todos trabalham. O movimento das bicicletas, dos barcos, dos bondes; a ausência de gente parada pelas esquinas; a falta de vida noturna; o crescimento das cidades, recuperadas dos desastres da guerra; os mercados; os campos bem tratados; a vigilância constante para que o mar não venha destruir o solo que o homem constrói, – dão à Holanda uma fisionomia maternal e tranquila, e concorrem para a paz interior de quem deseja também trabalhar e pensar.

Além disso, a Holanda é um país que me parece cômodo, pelo menos para os estrangeiros. Pode-se viver aí com muito dinheiro e com pouco dinheiro, também. Tudo se encontra, e tudo parece estar perto, seja chocolate, café, vestidos, máquinas fotográficas, objetos de Marrocos ou da Indonésia, lembranças para turistas ou enfeites para cotilhão. Há aulas de tango e creio que até de samba, para quem quiser, desfiles de modas, e vi, por menos de três florins, uns azulejos antigos, com chineses soltando papagaio e rapazes rodando arco.

Mas o que eu desejava muito ver era um lapidário de diamantes e uma fábrica de papel de luxo, – e isso ainda não consegui. Mas vi ainda uma vez o museu Rembrandt, e mais uma vez comi enguia em Volendam e conheci Marken ao som de um acordeão; e sonhei distância e deserto diante da grande barragem; e depois de fazendas e granjas extasiei-me com a catedral de Gouda; e pensei com mais ternura no Brasil, mirando tapeçarias e ouvindo falar de Nassau; e, no Dia da Libertação, vi o povo alegrar-se com bandeiras e músicas; dei de cara com passeatas de estudantes metidos em camisolas e capuchos medievais; tornei a extasiar-me com Van Gogh; levaram-me a lugares só de areia; outros, só de pássaros; vi os grandes barcos partirem para a pesca do arenque; vi marinheiros contarem coisas na sua língua, com muita saudade (não entendi, é claro, mas devia ser belo); num lugar chamado "Copacabana", ao som do "Clair de lune", uma dançarina passeava pelos ares, toda branca; – e, de Norte a Sul e de Leste a Oeste, a Holanda continuou a ser para mim como as suas antigas janelas que mostravam por um espelho, às pessoas dentro de casa, os mil aspectos do mundo que vai girando longe e perto de nós.

Num raio de sol, vi as meninas com seus baldes de leite, os meninos com seus ramalhetes de flores do campo, os cavalos deitando para o ar frio o bafo quente da narinas... Num véu de névoa, deixei, muito longe, as mulheres que batiam colchões, ao ar livre, num dia de limpeza geral...

[1953]

Onde estamos?

Com um carro em perfeitas condições e estradas bem sinalizadas, pode-se ir até o fim do mundo sem se perguntar nada a ninguém. Logo, porém, que se chega a uma cidade, grande ou pequena, de qualquer continente, começam as atrapalhações. Porque os habitantes da cidade, seja qual for, vão para aqui e para ali, como se estivessem sabendo o caminho, mas é puramente por instinto, hábito, rotina, sonambulismo, ou conduzidos pelo Anjo da Guarda: mas sem a menor ideia acerca das ruas, dos bairros, dos números das casas, dos edifícios mais importantes, nem mesmo dos acidentes principais: – "Como se chama aquele morro?" – "Aquele morro...?" – "Que casarão é aquele, lá longe?" – "Aquele casarão? É mesmo, que casarão!..."

Creio que só conhecemos as cidades onde não vivemos habitualmente. Os moradores permanentes das cidades conhecem-nas certamente pelo olfato, pelas cores, não sabem nada, nunca pensaram nisso, vão andando, acertam, não acertam... – deve ser por isso que se perde tanto tempo, e as coisas são tão difíceis, e uma visita, nos dias de hoje, corresponde mais ou menos, em tempo e heroísmo, à expedição de Alexandre ou à de Colombo.

Procura-se uma rua em Copacabana e, sob a ameaça de duzentos ônibus desabando sobre a nossa cabeça, faz-se o melhor sorriso, e pergunta-se ao transeunte: "Sabe onde fica a rua tal...?" – Às vezes também com o melhor sorriso (outras, de cara arrogante), o transeunte responde: "Não sei, não, – não moro aqui..."

Outro dia, o transeunte estava decidido a ajudar-me, e disse-me: "Sei, sim, olhe: dobre à direta, siga em frente, dobre à esquerda, siga em frente, vá seguindo toda a vida... É aí." Seguindo toda a vida naquela direção, iríamos dar de frente no sul da África. E ainda continuando toda a vida iríamos até a Austrália. Viagem lindíssima, com certeza, mas não para um simples automóvel. E perderíamos o jantar em casa dos nossos amigos...

Uma vez, numa destas nossas grandes cidades, uma pessoa amável traçou o mapa que devíamos seguir para chegar ao ponto desejado. Mas logo a quinhentos metros uma das ruas do itinerário estava em obras, e intransitável. Já o mapa não servia para nada. E a odisseia começou: cada informante dizia uma coisa: "É do outro lado..."; – "Ah! é muito longe daqui..."; – "É logo ali adiante"; – "É depois do semáforo..."; – "É antes do semáforo..."; e uma pessoa, a mais amável de todas, pensou, pensou e confessou, sinceramente penalizada: – "Eu sei... Eu sei! – Mas agora não me lembro!"

Os mapas, frios e impessoais, costumam ser exatos. Mas nós temos esse apego à confirmação humana, queremos a palavra viva sobre o traçado morto... E acontecem essas coisas.

Certa vez, na Bélgica, segundo todos os cálculos, devíamos estar em certa rua, lamentavelmente sem placa. Mas na rua havia um padeiro com seu carrinho de entregas. Quem pode conhecer melhor as ruas que um entregador de pão? "Onde fica a rua tal...?" – perguntamos. Com a maior segurança, respondeu: "Não é por aqui!" Mas uma arrumadeira que sacudia travesseiros à janela, ouviu a pergunta, a resposta, e teve a gentileza de socorrer-nos. – "A rua tal?" – Era aquela mesma... (Era a rua onde estava o padeiro com seu carrinho, sua inocência, levado pelo vento, pelas estrelas, quem sabe como? por quê?)

Nem sempre essa pergunta do passante é sem consequências. Numa esquina da Holanda, três velhinhas muito bem-vestidas conversavam com a maior amabilidade. Deviam ter voltado de algum ofício religioso, ou de um chá de cerimônia, com seus chapeuzinhos, suas luvinhas, suas echarpes de seda. – "Onde será que fica isto assim assim..." – perguntamos. (Tratava-se de um edifício indubitável. As três pensaram um momentinho. A primeira disse: – "É por ali..." A segunda discordou: – "Não é, não; é por aqui." A terceira observou: – "Não é por aqui nem por ali, é por lá..." Depois, começaram a discutir entre si em holandês. Depois voltaram a opinar em inglês. Mas sempre divergindo. E tornando a discutir em holandês. Não havia nada a fazer. Fomos por ali afora, ao acaso, certos de que iríamos parar noutra cidade. E de longe víamos as velhinhas discutirem, com muita energia, e em holandês, apontando para um lado e para outro e fazendo com as mãozinhas enluvadas esses desenhos da sinalização das estradas, retorcidos e acrobáticos.

Às vezes penso que as velhinhas tenham ficado de mal, o que me enche de remorsos, porque eram tão engraçadinhas, tão prestativas, tão elegantes! Só não sabiam onde estavam, nem de onde vinham nem para onde iam, como nós, como todos nós...

[1953]

Oriente-Ocidente

Ainda ontem estávamos na Índia: e tudo, de repente, nos parece tão longe como se nos separassem muito maiores extensões de terra e mar, – e, sobretudo, muito mais profundo tempo.

Não é a mesma coisa ir-se da Itália para a Índia, ou vir-se da Índia para a Itália. Não é tão simples ir-se do Ocidente para o Oriente. Se o viajante não quiser ser um superficial turista, com algumas excursões pelos bazares, museus e monumentos de arte; se o viajante não pretender apenas comprar colares de esmeralda ou tapetes antigos, deve preparar sua alma para essa visita longínqua, sob pena de não entender nada, e assustar-se facilmente com os aspectos de pobreza e a diversidade de hábitos a que será exposta a sua sensibilidade.

O viajante ocidental precisa de uma iniciação antes de partir para o Oriente. Creio que essa iniciação lhe será útil seja qual for o país a que se destina. Precisa conhecer a história desses velhos povos, um pouco de suas ideias filosófico-religiosas, uma boa parte de seus costumes e tradições. Precisa, também, conhecer a atualidade desses povos, que não estão mortos, mumificados, incertos, mas, ao contrário, vivos, em grande vibração, procurando equilibrar a sua sabedoria de passado com a ciência e a técnica do tempo presente, o que é trabalho delicado, tanto no plano nacional como no internacional.

Crônicas de viagem 2 ✦ 47

Do Mediterrâneo ao Extremo Oriente, todos esses povos sobreviventes da antiguidade estão agitados por uma onda de renascimento. Muitos deles conquistaram há pouco a sua liberdade, e passaram, assim, a ser responsáveis pela sua posição, num momento dificílimo do mundo, com os últimos fogos de guerra ainda mal apagados. Essa conquista da liberdade obriga-os a um processo de reajustamento rápido, para vencer os atrasos, a miséria, o abandono que, invariavelmente, acompanham todos os cativeiros.

Em relação à Índia, é o que se vê: a incoerência de monumentos multisseculares, de esplêndida edificação, em que a arquitetura, a escultura, a pintura proclamam a fama de artistas adiantadíssimos, – ao lado de aldeias extremamente pobres, com seus casebres cobertos de palha; pessoas fulgurantes de joias e sedas ao lado de mendigos reduzidos a um pequeno trapo; cômodas estradas de rodagem atravessando planícies secas, porque as matas foram devastadas, os rios desapareceram, o deserto vai avançando... Da Europa, onde os povos estão mais ou menos entrelaçados por uma história comum, onde os problemas são quase idênticos, não se entende bem o panorama oriental, que requer um olhar claro, uma cabeça desanuviada, e um inteligente coração. Por paradoxal que pareça, é mais fácil entender-se o Oriente conhecendo-se o Brasil, cujos problemas são curiosamente semelhantes (luta pela afirmação de uma nacionalidade, urgência de adaptação às circunstâncias internacionais, aproveitamento das riquezas, contratempos raciais, consolidação da economia, planos de educação), salvo no que se refere às respectivas idades, e à data da sua independência.

Estar em Roma e pensar na Índia é como sonhar, apenas, que se esteve lá. O principal contraste é a densidade. A Índia é toda fluida: os palácios, os templos, os monumentos são rendados, embrechados, recortados, o céu com o sol e a lua e as estrelas atravessam esses pórticos, andam por esses salões, mesmo quando estejam fechados... Roma, embora transborde dos antigos muros, conserva aquelas paredes que lhe dão majestade, grandeza, mas também uma austera impenetrabilidade.

Na Índia, a multidão que passa, com as roupas despregadas ao ritmo do andar, com a lua atravessando panos de mil cores, – é também fluida: e os penteados enfeitados de flores, e os mil adereços de ouro, prata ou vidro que escorregam pelos braços, oscilam nas orelhas, deslizam pelo pescoço ou pela testa, – palpitam com aquelas vidas frágeis a que pertencem, estão sempre como em despedida, estão sempre dizendo adeus.

Em Roma, o povo é sólido, maciço, de uma beleza de estatuária. Nas ruas, seus movimentos são bruscos, decididos, enérgicos. As próprias fazendas das suas roupas são encorpadas, sem as incertezas e as fugas das musselinas.

Na Índia, a fome se resolvia com arroz, especiarias, frutas, grãos, chá, refresco...

Em Roma, até a comida é escultórica: são todas essas massas que têm alguma coisa a ver com a cerâmica, – a de uma delas até me explicam ter sido originariamente modelada sobre o umbigo de Vênus! E são essas inesquecíveis alcachofras, e são esses roxos vinhos que por toda parte circulam, como a seiva de uma árvore robusta.

De modo que, vista daqui, a Índia é como um pássaro: como um pássaro muito musical e muito fugitivo, sempre mais longe da terra; enquanto Roma é uma grandiosa, poderosa, soberba coluna de mármore que pode subir, como a de Trajano, em prolongada espiral, mas firmemente presa ao chão, e levando nos seus relevos histórias da terra, gente da terra, batalhas da terra. (Como estão longe as torres cheias de deuses e figuras mitológicas, brilhando em prata e azul nas tardes cristalinas de Madrasta!...)

Esta gente positiva e ruidosa gesticula com os amigos, protesta contra alguma imprudência do trânsito, e, quando se põe amorosa, tem a mesma expressão pagã das estátuas dos museus. É um medo de ser franco, bravo, direto, – às vezes, muito entusiasmado.

Na Índia, as mulheres estavam todas envoltas em seus finos véus, de onde surgiam rostos como flores, e mãos tão delicadas, que não se compreendia como podiam carregar jarros d'água, crianças, – às vezes até pedras de estrada em construção. O corpo desaparecia sob esses planejamentos.

Mas, aqui, as belas moças que passam pelas ruas mostram pernas fortes e ágeis, colo exuberante, e mãos que – sem deixarem de ser belas – poderiam levantar sem esforço estes mármores caídos, nas ruínas do foro...

Contemplando estes turistas estendidos ao sol pelas escadas de Trinità dei Monte, penso outra vez nas distâncias que vão do Ocidente ao Oriente. Não a de terras e mares; mas as de espírito. Máquinas fotográficas; bolsas repletas de mil lembranças: o gosto esportivo de estar deitado ao sol num país estranho, carregado de tradições ilustres... O prazer de bem comer, de bem viver, de bem comprar, – esta vida momentânea eternizada em minutos passageiros, – tudo isso está aqui, entre risos festivos... Tudo isso que, lá na Índia, é o efêmero, com que transige uma vez ou outra, com a consciência da eternidade, que é o nosso território profundo, do princípio ao fim...

Para entender o Oriente, é preciso vê-lo, conhecê-lo neste instante dramático de ressurreição, compreender a atitude de povos milenares que se reorganizam, e, tendo tamanha vitalidade que, através de tantas desgraças, permaneceram intactos, experimentam agora, nesta idade de silêncio, o valor da sua sabedoria.

Sobre esses pensamentos, passam os ruídos insuportáveis das motocicletas. Motocicletas por esta lírica Piazza di Spagna; motocicletas ao longo das velhas ruínas; motocicletas disparadas por toda parte, incontidas e alucinantes...

Mas as motocicletas passam. E fica em nossos ouvidos o rumor vivo das fontes, – destas fontes romanas que jamais serão bastante celebradas – destas águas incansáveis cuja voz que corresponde à das estátuas, e relembra e narra e canta... (Uma outra cidade aparece a quem se deixa ficar, humildemente, a ouvir estas fontes.)

[1953]

Uma voz no Oriente

Faz-se um grande silêncio, na sala do Parlamento, quando Maulana Abul Kalam Azad, ministro da Educação, começa a falar, na sessão inaugural do Congresso reunido em Nova Delhi para estudar a contribuição das ideias e técnicas de Gandhi na solução das tensões nacionais e internacionais.

Maulana Abul Kalam Azad é uma figura robusta, apertada numa casaca cinzenta – essas casacas indianas, tão simples e solenes, abotoadas da gola até a cinta – e cujas abas vêm até o joelho. À cabeça, um negro barrete cônico. Sua face enérgica e ao mesmo tempo cordial recebe um lampejo de prata que lhe vem dos bigodes e do cavanhaque grisalhos. Lampejo que deve corresponder ao do olhar, oculto, no entanto, por amplos e impenetráveis óculos pretos.

Disseram-se que Maulana Abul Kalam Azad – esse nome que parece vir das *Mil e uma noites* – significa, pouco mais ou menos, – o "sábio, pai da palavra livre". Todos nós nos concentramos para ouvi-lo. E na grande sala ressoa sua voz poderosíssima; porém, em hindi.

É certo que, aos estrangeiros, logo oferecem a versão inglesa do seu discurso; mas, no momento, prefiro muito mais acompanhar o fogo da sua emoção na língua indiana que será, dentro de alguns anos, o idioma nacional.

Falou da importância daquele Seminário, para o mundo moderno, e da sua significação para todos os países. Que as ideias de Gandhi já se tinham tornado uma herança intelectual para o homem contemporâneo. Que essas ideias estão cheias de compreensão e fraternidade. E, diante da ameaça constante de outras guerras, conviria examinar a sua contribuição para suavizar as relações entre homens e povos.

Então, a Índia não queria pensar sozinha, mas com pessoas de todas as latitudes, que livremente estudassem o assunto. Ainda que não se chegasse a uma conclusão definitiva, o esforço de procurá-la já seria compensador.

Depois, analisou a guerra moderna, com a energia atômica a seu serviço. Essa energia que, desencadeada, poderia concorrer para a abundância e o bem-estar geral, estava, no entanto, sendo dirigida principalmente para a criação de engenhos de destruição. Como o rádio e o telégrafo, que, em lugar de serem usados para aproximar os homens, são agentes de propaganda de ódio e discórdia. Como o aeroplano, como os germens e bactérias, que podiam fazer à humanidade os maiores benefícios, nos campos da técnica e da ciência, e que se vêm melancolicamente aproveitados como armas de destruição.

Maulana Abul Kalam Azad não acredita que nenhum problema possa ter solução com uma guerra. As guerras originam ódios que produzem novos ódios – e sua voz se estende pela sala fazendo alastrar aos olhos dos ouvintes essa sucessão de males que, desde a primeira grande guerra, foram envolvendo, um por um, todos os países do mundo. Humilhações. Infelicidades. Vinganças. O poder derrotando a justiça...

O "sábio pai da palavra livre" fala com veemência e clareza. Que vem a ser um crime de guerra? Compara os bombardeios alemães na Inglaterra e os ataques aliados na Alemanha. A responsabilidade dos inventores da V-2 e a dos que lançaram bombas atômicas sobre Hiroshima e Nagasaki. Diz então: "o uso de uma arma para destruir uma cidade inteira, com milhares de homens, mulheres e crianças desarmados e inocentes é, por isso, um ato que deve ser condenado como um crime contra a humanidade". Estará sendo ensaiada a guerra bacteriológica na Coreia? pergunta inquieto.

Não! precisamos encontrar uma solução para o mundo, que não seja por meio de guerras! É isso o que desejam as Nações Unidas, como antes o desejou a Liga das Nações. E o ministro da Educação da Índia abranda a voz, para explicar que o convívio humano na terra só poderá ser feliz quando se der atenção à Justiça – e quando os Estados admitirem limites para a sua soberania nacional.

E, como é o "pai da palavra livre" que está falando, aproveita para esclarecer que os Estados advogam a arbitragem, no que se refere aos outros, porém, mudam de opinião, quando é o seu próprio caso que se acha em jogo...

Disse ainda que os povos têm o direito de escolher o seu próprio caminho, desde que o façam livremente e não procurem interferir no caminho dos outros povos. As nações devem ter a liberdade de escolher o caminho mais de acordo com o seu "espírito nacional".

Depois, falou que reconhecer a justiça como um valor absoluto é pôr o direito no lugar do poder. E, sobre esse famoso conceito de que "o fim justifica os meios", recordou um princípio básico, no pensamento de Gandhi, aquele que diz: "não só devemos procurar a verdade e a justiça, mas também adotar meios que sejam verdadeiros e justos, para alcançá-las". Insistiu ainda na ideia de Gandhi sobre a violência e o ódio, que não resolvem nenhum problema – apenas conduzem a outras desgraças. Falou nas falsas vitórias que se observam ao longo da História: vitórias que foram prelúdios de outros conflitos. As únicas vitórias verdadeiras são as que se baseiam em princípios morais.

Maulana Abul Kalam Azad recordou os ensinamentos da Gautama Buda, seiscentos anos antes de Cristo; a mensagem de Jesus no Monte das Oliveiras; o poder moral dos primeiros cristãos; a grandeza de Gandhi encarnando esses princípios de Verdade e Justiça, e a influência do seu exemplo na multidão.

Depois, recordando a longa vida do chefe espiritual da Índia, o ministro da Educação referiu-se àquela fé na não violência que era, para Gandhi, uma verdade definitiva, uma verdade tal que o levara a aconselhar a Inglaterra, por ocasião do segundo conflito mundial, a opor à agressão nazista a sua não-cooperação não-violenta... Que o levara à ideia de rejeitar a própria independência da Índia, se essa independência envolvesse um compromisso de participar da guerra...

Maulana Abul Kalam Azad é um realista: não vai tão longe na prática da não violência. Crê num uso limitado da força precisamente para obstar a violência.

Sua palavra poderosa enche a sala do Parlamento, e é ouvida religiosamente pelo público. Os congressistas, sentados ao pé da tribuna, vão acompanhando, na versão inglesa, o rumo de seu pensamento.

Antes de terminar seu ardente discurso, o orador lamenta que os convidados da Rússia e da China não tenham comparecido ao Seminário. E passa a palavra ao primeiro-ministro, Pandit Nehru, que está a seu lado, atento à sua

Crônicas de viagem 2 ✦ 53

fala, percorrendo com olhos vagos o auditório, tirando os óculos, às vezes, – às vezes, deixando brincar os dedos distraídos numa folha de papel.

No pequeno intervalo, entre um discurso e outro, sinto, de repente, a distância a que fui transportada. Sinto, – não recordo, apenas, o caso recente da Europa, a continuada luta no Oriente, e longe, muito longe, lá embaixo, no fim do mapa, esse país ainda desatento a certas coisas tão sérias, tão profundas, tão graves: esse país chamado Brasil.

Sinto, – não penso – esta palpitação unânime de terra, esta angústia dos problemas humanos, esta necessidade de estarmos todos próximos, de sermos todos amigos, de nos compreendermos, de nos construirmos, de nos amarmos. Essa unidade do planeta. Este minuto da vida nossa no universo. Raças, religiões, idiomas... Oriente, Ocidente, História. A solidão da Terra, pequenina, e o eterno combate do Bem e do Mal...

Pandit Nehru começa a falar. Tem à cabeça o quepe branco, distintivo das lutas de Independência. E usa no peito um botão de rosa. Um botão de rosa encarnada.

6 de dezembro de 1953

O deslumbrante cenário

O clarão da madrugada oriental a estender ramos rubros no adormecido céu. Escadas, terraços, varandas, balaustradas, ainda na sombra. Longos panos estendidos – sáris vermelhos, alaranjados, amarelos, – que uma tênue brisa incha e faz levemente ondular. Os corvos a roerem o tempo, infatigáveis.

Pelas ruas, os primeiros passantes, *dhotis* tão brancos, tão brancos e transparentes sobre finas pernas escuras que o pensamento foge para velhas pinturas egípcias. Frescura matinal das tranças úmidas e das roupas limpas.

Os varredores – a mais humilde gente – acocorados, com suas vassouras sem cabo, a limparem os passeios, os degraus, os vestíbulos das casas. Turbantes, sandálias, silêncio.

Pequenos adeuses: tudo como nas miniaturas – a cabeça inclinada para o ombro, colares, brincos, braceletes, – o olhar amendoado, o sorriso discreto, uma flor na mão.

Depois, Bombaim, que fica para trás, debruçada no Oceano Arábico, Bombaim já coberta de sol, toda fluida e cintilante – e o verde mapa da Índia que se desdobra em planaltos por onde se percebe o deslizar metálico dos rios. A altitude, a vastidão, o céu absolutamente azul, o horizonte que se descobre em mil pormenores, na transparência do dia, – uma grandeza maternal, uma doçura, no longo voo: talvez pela simplicidade silenciosa dos companheiros, quietos nos seus lugares, confiantes naquele céu, naquela terra, naquele ar, como se estivéssemos viajando nos braços ternos de um piedoso deus.

Poder-se-ia desejar que, daqui a cinco horas, uma fita se desdobrasse na nossa frente, como nas gravuras de outrora, e os nossos olhos pudessem ler: "Delhi". Mas, por que nos queixaremos, se a realidade ainda é mais bela, – se aparecem os amigos, carregados de flores, com uma efusão que nos está mostrando como o coração fala a mesma língua em qualquer lugar deste mundo?

O Palácio do Nizan de Haiderabade, que hospeda os convidados oficiais, é um súbito deslumbramento, com seu parque florido, suas escadarias, mas, sobretudo pela cor de seus intermináveis tapetes que forram salões, corredores, varandas, fazendo-nos caminhar como em chão de safiras. Os altos aposentos, os mármores brancos, o pátio interno, com seu jardim cheio de pássaros mansos avivam-nos a certeza de estarmos no Oriente, embora um delicioso frio nos obrigue a tantos agasalhos. Toda esta brancura, e estas janelas pegadas ao teto e estas imensas portas, e estes pisos de mármore, e estes pátios e varandas de suave sombra são para os dias de verão, o fabuloso verão oriental de que Bernier dizia, há três séculos: "Deveis saber que o calor obriga, aqui, a todo o mundo, inclusive o rei e os homens grados, a andar sem meias, com umas simples babuchas ou pantufas, e um turbante muito fino e leve, na cabeça. O resto do vestuário é no mesmo estilo. Há meses de verão tão excessivamente ardentes que, dentro de casa, mal se poderia encostar as mãos nas paredes ou a cabeça na almofada, sendo todo o mundo obrigado, durante mais de seis meses, a dormir na entrada do quarto, sem manta nem roupa de cama, como o povo humilde faz pelas ruas, ou como os mercadores e pessoas de certa posição, que passam a noite nos pátios de suas casas, em algum jardim bem arejado, ou num terraço que à tardinha foi bem regado."

Mas agora estamos todos embrulhados em lãs, e nenhum tão bem como o guarda da minha porta, com o seu manto branco, de muitas voltas, feito desse tecido de Cachemir, tépido e caricioso, ao mesmo tempo belo de ver e agradabilíssimo de usar, e que parece, nas suas pálidas pregas, um vestido de marfim.

O guarda da minha porta ensina-me logo duas palavras de hindi – *varanda* e *chabes* – e é como se o ouvisse falar português... E, com essa iniciação, deixo-lhe a chave do meu quarto, que ele chama *cam'ra* – como com certa imponência clássica também eu poderia dizer – e sou arrebatada pela cidade

56 ✦ Cecília Meireles

cor-de-rosa, esta Nova Delhi ocidental, de jardins grandes e virentes, que encobrem residências brancas, de estilo sóbrio, numa paisagem plana e repousante, de ruas muito largas, que se cruzam em amplos hexágonos.

Esta cidade é cor-de-rosa porque os grandes edifícios, construídos de grés avermelhado, adquirem ao sol uma irradiação de aurora ou luminoso ocaso – e essa tonalidade, e o azul do céu, e os jardins verdes formam o cenário deslumbrante por onde passam, como em sonho, homens de turbantes multicores, mulheres de vaporosos sáris, crianças vestidas como ídolos, e essas carruagens que são a minha paixão, com uns cavalinhos quase alados, e que até parece que sorriem, todos enfeitados com penachos, colares, xailes e flores! (Ah! meus amigos, se tiverdes de reencarnar, e de vir – Deus vos proteja, mas quem sabe o que nos espera!... – de vir sob a forma de bicho, fazei o possível para serdes cavalinhos de Delhi! Tereis estes colares azuis, de contas grandes como ovos; tereis plumas encarnadas, cor-de-rosa e alaranjadas, no topete; arreios dourados, e flores nas orelhas... Tereis uma carruagem toda reluzente de negro, vermelho e ouro. E um cocheiro de turbante, que move o chicote por amor ao gesto, mas que não bate nunca... E tudo é como um bailado entre o céu e a terra, com belas moças recostadas, tintinantes de joias, que vão como nós para os lugares antigos, onde só se fala de Xá Jehan e de Aurang Zeb e do trono do pavão, que Nadir Xá roubou e levou para a Pérsia...)

Esse trono tinha seis pés de ouro maciço, e era todo cravejado de diamantes, esmeraldas e rubis. No espaldar, havia dois pavões de cauda aberta, – e as cores da plumagem eram minuciosamente imitadas em pedras preciosas. Dizem que entre os pavões havia também um papagaio, talhado num bloco único de esmeralda. Nesse trono, dava o soberano suas audiências, vestido de cetim branco bordado de flores de ouro, e com o peito coberto de colares de pérola. Do seu turbante de tela dourada, saía um penacho de diamantes, com um topázio que era o retrato do sol...

Mas Jorge Manrique já tinha perguntado dois séculos antes:

> *... los edificios reales*
> *lienos de oro,*
> *las bajilas tan fabridas,*
> *los enriques y reales*
> *del tesoro;*
> *los jaéces, los caballos*
> *de sus gentes y atavios*
> *tan sobrados,*

donde iremos a buscallos?
qué fueron sino rocios
de los prados?

Foram só orvalhos dos prados, essas riquezas; mas os palácios persistem, na sua magnificência, com seus mármores por onde corriam arroios refrescantes; com suas paredes e seus tetos pacientemente lavrados de flores; com suas grades de alabastro rendado, para se ver sem se ser visto...

E é a grande mesquita, com suas escadarias, com suas cúpulas e minaretes, na praça apinhada de gente que vende comidas, flores, joias, objetos de metal, frutas, e as crianças que pulam, pedem esmola, riem, choram, e os velhos que tropeçam em tudo, cobertos de andrajos, de barbas, de resignação, e de inviolável fé – porque só Alá é grande e Maomé é o seu Profeta...

É o Kutb Minar, a maravilhosa torre, que se eleva como uma planta mágica, em cinco andares, vermelha, rósea, alaranjada, com balaustradas de onde se contempla o céu, o casario, a mesquita, o parque, o resto do templo hindu, e a sua profusão de colunas todas diferentes umas das outras... No meio de tudo isso, o misterioso Pilar de Ferro, que não se sabe como pôde ser fundido nem transportado, e que quem conseguir abraçar, de costas, ficará feliz para sempre...

E há os túmulos imperiais... E os jardins...

Nos jardins é que passeiam as belas moças que descem dos carrinhos puxados pelos indescritíveis cavalos de Delhi. Passeiam todas enfeitadas de flores – nos cabelos, nos pulsos, no pescoço, com as longas tranças pelas costas, e os véus úmidos de brisa. Algumas vão descalças, com argolas de praia nos tornozelos; outras usam umas sandálias de bico recurvo, muito flexíveis, de fina pelica; outras, sandálias completamente cobertas de bordados em ponto de cadeia... Passam, miram as inscrições gravadas nas paredes, nos túmulos, nas torres...

Pelo chão, as famílias sentam-se em grupos, a comer frutas e grãos, cercadas de pássaros, que não fogem de ninguém.

E às vezes vem uma menina, mansa como os pássaros, com uma doce voz muito tímida, oferecer cestinhas pequeninas, muito delicadas, que não custam quase nada... E logo desaparece entre os monumentos milenares, como uma estrela cadente que a noite imensa reabsorve.

24 de outubro de 1953

Tico-tico em Amesterdão

Eu estava aqui a escrever para os amigos, mas sentia lá fora a breve tarde cair. Entre névoa e chuva, o ar fazia-se denso e fosco, assim como um aquário revolvido, quando água e areia se misturam e equivocam.

É a hora deliciosa de Amesterdão. As ruas enchem-se de nuvens de bicicletas. Estudantes, operários, professores, empregados, todos têm bicicletas. Todos voltam para casa a pedalar suavemente, carregados de livros, pacotes, embrulhos... Se o sinal de trânsito muda, aquela nuvem interrompe a sua marcha: ficam todos os ciclistas como insetos parados, e os desenhos das rodas, e o brilho dos metais das bicicletas sugerem profundidade, voo, fuga, como em certos quadros abstracionistas.

Eu estava aqui a escrever, quando, atravessando esse ar denso e fosco de aquário revolvido, o fino timbre dos sinos veio dançar na minha solidão. Detive-me a reunir seus ritmos, que algum vento desmanchava pelo caminho. E os sinos festivos cantavam: "*La petite diligence...*" – e era, na verdade, como se uma pequena carruagem corresse pelos ares, fosse, de janela em janela, entregar mensagens musicais, e logo partisse, tepidamente de adeuses.

Crônicas de viagem 2 ✦ 59

Que sinos seriam aqueles? Debrucei-me à janela... – mas, ai de mim! a tarde estava toda submersa em névoa e chuva, como em dilúvio de água e areia, misturada e equivocada.

Tomei outro postal e comecei a datar: "Amesterdão..."

Comecei e parei. O "Tico-tico no fubá" não estava mais no fubá, não estava mais no Brasil, estava na névoa, estava nos sinos, estava naquela cidade encantada, que com seus braços d'água envolve o passado, o presente, o futuro, casas de testa pontiaguda, igrejas cor de tijolos, altas árvores sussurrantes, sacadas e torres cheias de lembranças.

O tico-tico brasileiro pousava aqui e ali nos braços líquidos daquela cidade, nas suas pulseiras de flores descomunais, que o outono pinta de cores crepusculares – ruivas, cinzentas, alaranjadas, cor de barro, de areia, de salmão...

O tico-tico sacudia das asas o orvalho daquela tarde de névoa e chuva, o tico-tico era um pequeno raio de sol observando a sombra, e formando potes de arco-íris entre os canais, as ruas, as sacadas, as bicicletas.

Assim brincaram os sinos de Amesterdão, na Torre da Moeda, enquanto o tico-tico quis saltar e espanejar-se na tarde fria. Os sinos calaram-se. O tico-tico tinha voltado para casa, lá longe, muito no sul, já noutro hemisfério.

Continuei a escrever o postal. Mas não era a mesma. Qualquer coisa nos modifica.

[1953]

Da ruiva Siena

"La piazza di Siena è la più bella che si vedda in nissuna altra città" – foi o que escreveu Montaigne quando, no século XVI, por lá passou. Parece que, nessa ocasião, a Piazza del Campo – em forma de concha, cercada de soberbos palácios, com muitas ruas desembocando por todos os lados, e a solitária Torre del Mangia varando o tempo, – ainda servia de arena para touradas. E os habitantes de Siena cercavam-na, com seus carros de fantasia, enfeitados som efígies de animais, como numa parada totêmica.

Mais tarde, sendo os touros considerados perigosos, substituiu-se o espetáculo pelas corridas de búfalos, que deviam dar três voltas à praça, enquanto os habitantes de Siena, – divididos primeiro em três bairros, e, depois, em dezessete, – desenrolavam em redor uma espécie de coreografia, com os seus carros alegóricos, ao som de músicas e cânticos. O prêmio era um rico estandarte de brocado, o pálio, conferido ao bairro ou *contrada* a que pertencesse o búfalo vencedor.

Finalmente, os búfalos também desapareceram, e as corridas de cavalos que se realizavam noutros lugares, passaram a ter como pista essa belíssima praça, que tanta admiração despertou em Montaigne.

As corridas de cavalos em Siena faziam parte das celebrações da Visitação de Maria a Santa Isabel, a 2 de julho. Depois, também a festa da Assunção, a 15 de agosto, teve o seu pálio. Desde a segunda metade do século XVII, o *Palio delle Contrade di Siena* é uma festa anual, tradicionalmente realizada nessas duas datas. Podem, porém, ocorrer outros pálios extraordinários, em circunstâncias especiais: datas importantes, visitas de pessoas ilustres etc.

É assim que, neste domingo, 12 de abril, ainda encontramos pelas janelas de Siena restos de panos festivos; e estes bem-aventurados turistas que comem e bebem nesta calçada do restaurante devem ter visto o brilho das cores dos cavaleiros e cavalos, de seus arneses, gualdrapas e bandeiras esmaltando as paredes ruivas destes palácios, e enchendo de movimento a praça onde, agora, apenas a água da fonte vai sendo a clara canção do dia.

Pois cada bairro ou *contrada*, além da sua insígnia (porco-espinho, ganso, tartaruga, licorne, girafa, pantera, dragão...), tem vestuário do século XV, saiote de diferentes cores, gorros, chapéus, toucados de várias formas, – e, tanto quanto a corrida, propriamente, deve empolgar os espectadores esse policromo desfile, com elmos, escudos, clarins, tambores, sob a alegria dos sinos festivos, e entre imensas bandeiras com os mais inesperados desenhos.

Mas perdemos a festa, e contentamo-nos com a sua descrição, diante das imagens que nos vão sendo mostradas, nesta praça que se abre como um grande leque, e de onde saem as ruas estreitas, pedregosas, cheias de degraus, de sombra, de um fino silêncio antigo, por onde se esquecem o dia, o tempo, a hora, e se caminha em plena Idade Média, ao encontro de museus e palácios, – ao encontro dessa catedral estranha, toda de mármore preto e branco, que parece uma floresta, um jogo monumental de luz e treva, e em cujo piso a Sibila Sâmia está lendo no seu livro, sem se preocupar com os passantes...

Siena, a rival de Florença, não se pode descrever facilmente. Florença é clara, quase linear e translúcida, – comparada a esta cidade tão medieval, de uma ruiva tonalidade, que faz pensar em ouro, sangue, ferrugem, e em cujas ladeiras e esquinas não se pode deixar de ver o perfil das antiquíssimas guerras.

Por entre mil visões de salas e salas carregadas de pinturas célebres, depois de tantos palácios, alegra-nos o torrão de amêndoa que nos oferecem, e que é um dos doces típicos de Siena. De repente, é preciso parar, para ver melhor: fechar os olhos, para guardar os vermelhos e azuis, o ouro e o verde de tantas cenas cristãs e pagãs. Cada um destes edifícios é como um grande, um imenso livro de figuras, com anjos, cruzes, santos, pontífices, imagens da Mitologia, entre infinitos arabescos...

Mas, agora, o que me mostram é o *panforte,* "*prodotto originale e di autentica bontà*", cuja tradição remonta ao século XV. É feito de farinha, açúcar, especiarias, amêndoas, laranja, limão, – redondo como um queijo; pegado em hóstia, no fundo; polvilhado, por cima, de açúcar fino de confeiteiro, perfumado a baunilha; cercado por uma tira de papel que não se despega do bolo, porque a massa é caramelosa.

Tem-se a impressão de que este *panforte* não envelhece; que se pode levar como alimento para uma viagem em redor do mundo, e nunca se passará fome. E o seu perfume lembra o Oriente, lembra Sorrento, e lembra, naturalmente, Siena, esta praça em forma de concha, a água que vai correndo, a torre onde, outrora, como os muezins, nas mesquitas, um homem chamado Mangia vinha anunciar as horas...

O *panforte* tem também sua literatura, que está no próprio papel em que vem embrulhado. Ao centro, Siena, com seu brasão e suas torres, dominando os bolos encostados como escudos em repouso. No alto, estas palavras de Alfieri: "*Siena dal colle ove torregia e siede*" – tanto nestas terras da Itália as graças da culinária se sentem felizes com a evocação das palavras cadenciadas... Em redor, todos os emblemas dos dezessete bairros da cidade. E mais uns versos em que o *panforte* (o desta marca...) sente que, como o pálio, proclama aos quatro ventos as virtudes de Siena. O *panforte* traz poesia a todos os corações – acrescenta o papel que vou lendo, comovida –

> *Nella Città*
> *che sui tre colli in fiore,*
> *di mite Olivo tutta s'inghirlanda...*

Isto é a Itália, qualquer que seja a cidade a que se chegue: um prazer de viver com delícia todas as coisas, desde o torrão de amêndoas até as praças cheias de fontes, de estátuas; desde os bolos perfumados até as altíssimas torres, que viram tantos acontecimentos em séculos e séculos de História. Tudo aqui se entrelaça, religiosidade e paganismo; e, como Montaigne encontrou criaturas simples que, embora sem instrução, se deleitavam com versos de Ariosto e dele recebiam a inspiração de improvisar, também não é raro encontrar-se ainda hoje, em qualquer lugar, alguma pessoa bastante sensível, apesar de sua modéstia, para falar com emoção de Dante, como se o tivesse conhecido pessoalmente.

Com o meu *panforte* me vou por estas ruas de Siena, que sobem e descem, em pedras, degraus, ladeiras, encruzilhadas, por entre palácios fechados, de suntuosas fachadas. Ai, não fosse a vida esta urgência! Pudéssemos nós ir sempre subindo e descendo estas ruas, estas escadas, sem fome, sem cansaço, sem hora certa, puramente em alma!...

[1953]

Uma hora em San Gimignano

Na auréola ruiva de Siena, vai ficando para trás a Catedral preta e branca. (Oh! aquela floresta de arcos, na grande nave, aquele mármore preto e branco a baralhar a vista, a arrebatar o espírito, a arrancar-nos deste mundo, a conduzir-nos por lugares de puro êxtase, sem imagens nem cores!) Preta e branca, preta e branca... Impossível deixar de ouvir a voz de Omar Khayyam: "... tabuleiro de xadrez de noites e dias onde o Destino move os homens como peças, de um lado para outro, – e vence, e mata, e um a um torna a guardar depois na caixa..."

Longe vai ficando a Catedral, e, com ela, palácios, torres, praças, museus, bibliotecas; ruas de pedra, tortas, estreitas; a sombra que por esses corredores da cidade se vai acumulando; os salões repletos de pinturas; as casas repletas de História; séculos guardados, imóveis nos seus lugares, enquanto as horas incessantes caem como triste poeira dos altos relógios.

Afinal, tudo se reduz a preto e branco, e a nossa pequena presença desliza entre essas margens de contraste. Refletimos ora um lado, ora outro; às vezes, baralhamos os dois; às vezes, conseguimos dominá-los e entendê-los; outras, ficamos atordoados e confusos, – isso porém são defeitos nossos: o branco e o preto guardam sua essência eterna em perfeito equilíbrio. Quando estamos serenos, podemos pairar sobre as coisas; quando estamos inquietos, nos revoltamos contra elas...

Pensar que aqui em Siena viveu há mais de seis séculos aquele poeta Angiolieri que escreveu uns versos famosos:

> *S'i'fosse foco, arderei i'l mondo;*
> *s'i'fosse vento, lo tempesterei...*

No entanto, a doçura do campo é tão grande, na bela terra toscana, que mais apetece cantar com as palavras também tão antigas de Sacchetti:

> *O vaghe montanine pasturelle,*
> *d'onde venite sì legiadre e bello?*

Gostaríamos, realmente, que saíssem, destas colinas, airosas pastorinhas com rebanhos e, nesta veludosa paisagem dourada e esverdeada, bailassem, cantassem, ou simplesmente nos falassem das fábulas que souberam, como a de Narciso, que agora recordamos, vendo uma árvore em flor: "*Narcis fue molto bellissimo. Isguardando ne l'acqua vidde l'ombra sua che era molto bellissima...*" (Narciso mergulhou as mãos n'água, para atingir a imagem de que estava enamorado; a água turvou-se, a imagem desapareceu. Narciso pôs-se a chorar, as águas aquietaram-se, e a imagem lá dentro chorava, também. Narciso deixou-se cair dentro da fonte, e morreu. E quando, na primavera, as moças vieram brincar ao pé das águas, viram Narciso afogado. Levantaram-no, apoiaram-no à borda da fonte. E o Deus do Amor transformou-o em amendoeira, a primeira árvore a florescer e a anunciar a primavera e o amor...)

"*Narcis fue molto bellissimo...*" E assim recordando fábulas e versos, atravessando esta paisagem que o sol pinta de delicadas cores, – estas colinas que descem como pastorinhas de verde e se vêm sentar nos vales amorosos, de penumbras louras, – assim vamos alcançado San Gimignano, *dalle Bello Torri*, torres que foram mais de setenta, e hoje são apenas treze, mas ainda assim anunciam de longe, no alto da colina, o burgo medieval com suas muralhas e portas.

Essas torres quadrangulares e simples, de altura desigual, parecem de longe um brinquedo de cubos superpostos. Entradas, porém, as portas da cidade, é a paisagem ao longe que parece um quadro ingênuo: San Gimignano, ao contrário, adquire um aspecto grandioso e rústico, com a sua estrutura de pedra do século XIII. Torres, palácios, cisterna, casas, igrejas, praças, ruas, muros, tudo ali está preservando austeramente sua idade e suas memórias. Poderíamos ir ver os murais de Ghirlandaio ou os altares de Maiano. Por que então nos dirigimos para outro lugar? Simplesmente porque pronunciaram ao nosso lado o nome de Dante.

No ano de 1300, Dante veio a este palácio, em missão política, e pronunciou aqui um discurso, que, politicamente, parece não ter adiantado nada, como acontece, quase sempre, aos poetas. Não obstante, os fatos já vão longe, e de todas essas lutas de guelfos e gibelinos o que há de mais vivo é o nome de Dante. É felicidade suficiente, para quem admira um vulto do passado, sentir-se entre as mesmas paredes, sob o mesmo teto, no mesmo ambiente por onde alguma vez se encontrou o objeto de sua admiração. Pode-se, de certo modo, recompor a figura, ouvir a voz, animar o gesto da criatura que ali esteve, quando ela mesma não sabia, nem outra pessoa qualquer adivinhava ainda que aquela era uma criatura imortal. A arte de viajar é uma arte de admirar, uma arte de amar. É ir em peregrinação, participando intensamente de coisas, de fatos, de vidas com as quais nos correspondemos desde sempre e para sempre. É estar constantemente emocionado, – e nem sempre alegre, mas, ao contrário, muitas vezes triste, de um sofrimento sem fim, porque a solidariedade humana custa, a cada um de nós, algum profundo despedaçamento.

San Gimignano organizou para esta tarde uma festa evocativa do século XIV, com os figurantes vestidos à moda da época, e arautos anunciando o espetáculo. Há música, dança, há também canções, – e as cores brilhantes dos vestuários enchem de alegria a plataforma no alto da escadaria do palácio. No pátio, o público vai tomando lugar nas cadeiras e bancos, que dificilmente se equilibram no chão de terra.

A multidão é pitoresca, como em qualquer lugar do mundo. As senhoras, gordas e alegres, parecem muito felizes, e conversam animadamente. As crianças correm para cá e para lá, levantam a poeira do chão, tiram as cadeiras dos lugares. Não adianta que a cidade tenha cerca de setecentos anos: a multidão não tem a imobilidade severa dos palácios e das torres, – é viva, palpitante, inquieta.

Quando as figuras se alinham para dar início à festa, as senhoras ao meu lado começam a reconhecer os rapazes e moças que estão lá em cima. "Aquele é o Giuseppe!" E contam a história do Giuseppe; quem é, de onde vem, o que faz. "Aquele é o Giovanni!" E contam a história do Giovanni. Giuseppe começa a cantar – e todos sossegam, mesmo as crianças, com a boca cheia de balas.

Oh, a voz de Giuseppe batendo naqueles altos muros onde agora também está batendo o sol! Oh, a mão de Giuseppe acompanhando no ar a expressão da sua voz! O pátio é só música. Música da boca de Giuseppe, dos seus olhos, das suas mãos, do seu peito... E o maestro feliz, acompanhando Giuseppe, que vai, que vem, dentro da música, e não se engana, e não se perde... bravo, Giuseppe!

Logo que a música cessa, a multidão volta ao seu rumor. Mas é um rumor de alegria. Olhos brilhantes, faces encarnadas, palavras deslumbradas. Tudo sossega, à espera do segundo número...

E assim prossegue a festa, com um bailado ingênuo, de moças muito claras e esbeltas, que levantam os braços para cá e para lá, e se curvam para um lado e para outro, e parecem uns arbustos inclinados por um vento de música, – e depois se inclinam e despedem, e recuam, e voltam para os seus lugares... Bravo! Bravíssimo!

As torres de San Gimignano podem desaparecer, e o palácio em que Dante falou, e o pátio onde Giuseppe derramou sua voz poderosa, e onde as senhoras e as crianças se enterneceram com essa evocação do passado. Pode desaparecer o moço melancólico e suave, que nos desejou boa viagem com um gesto de delicada simpatia. Pode o sol esconder-se nas colinas mansas, de veludo dourado e verde. Viaja conosco uma lembrança amorável, que conserva suas cores na sombra da noite e suas vozes no silêncio que desce.

[1953]

"Ver Nápoles e..."

"Via Partênope... Via Partênope..." – por mais que o moço napolitano me queira vender, aqui mesmo na rua, uma caneta-tinteiro, não é nisso que estou pensando, mas na sereia do Ulisses que, primitivamente, deu seu nome a estes lugares. Como seria bom ler, junto a uma destas janelas, em frente ao Castel dell'Uovo, as histórias da *Ilíada* e da *Odisseia*! Como seria bom reler também Virgílio aqui, nesta paisagem que lhe foi grata, e já tão próximo do sítio em que deveriam descansar suas cinzas!

O cheiro do mar inunda a Chiaia, e os vendedores de ostras completam este quadro, que tem, no segundo plano, pequenos barcos subindo e baixando remos na água esverdeada, – e, ao longe, o Vesúvio, com seu passado sinistro e seu misterioso futuro.

Nápoles é esta despreocupada alegria matinal, estas vozes que, de vez em quando, cantam qualquer coisa, é esta mistura de Oriente e Ocidente, são estes tempos históricos superpostos. Se a Via Partênope é a mitologia, com os naufrágios de Homero subitamente visíveis – e seus barcos, e seus mastros, e os ouvidos tapados à tentação das vozes marinhas – a Via Toledo já é a Espanha, é o duque d'Alba, é, século sobre século, até um nome da Inconfidência Mineira.

(O sangue dos homens desenha mapas singulares; e, nas terras mais inesperadas, acordam mortos antigos cuja história se ramifica até muito longe, e vai desabrochar em fatos estranhos, incoerentes, tão variada e mutável e engenhosa é a nossa condição humana!)

Nápoles é a minha amiga Mercedes La Valle, a dizer-me em Roma que devo comer a mais legítima *pizza à la napoletana*, que é a que se encontra na Piazza della Carità. Já cumprimos a promessa, – e tivemos o prêmio de conversar com uma velhinha, transeunte da praça, que, falando o dialeto local, não só se fazia entender, mas – o que é verdadeiramente notável – conseguia entender o que lhe dizíamos, nós, míseros forasteiros perdidos por estas esquinas rumorosas, contemplando estas velhas casas de muitos andares, estas ruelas que sobem para o Vômero, todas enfeitadas com roupas estendidas de uma janela para outra, num espetáculo de pobreza que parece um embandeiramento de festival. E as moças pelas esquinas a venderem gravatas de todas as cores; com mil desenhos, e as pastelarias transbordantes de ovos coloridos – porque estamos na Páscoa – e de *pastieri*, estas tortas próprias da época, extremamente aromatizadas, feitas de farinha, ricota, e, com certeza, amêndoas, laranja e passas, e cuja casca tostada tem um desenho de losangos.

Agora, almoçaremos no Ciro, onde há travessas colossais de massas e de mariscos; onde procuro alcachofras, que são a minha maior tentação na Itália; onde há um gato indolente, que me parece egípcio, pré-histórico, cheio de sabedoria secreta; onde há uma cantora de peito poderoso que sobe e desce como um par de barcos num oceano tempestuoso, enquanto sua voz acrobática enche de música nossos ouvidos e nossa alma.

Nápoles é o Posillipo: é Virgílio, é Cícero, é Sannazaro, é Leopardi. É também Gérard de Nerval, que começa a cantar:

> Je pense à toi, Myrtho, divine enchanteresse,
> Au Pausilippo altier, de mille feux brillant...

Esse lugar de paz, que foi outrora residência aristocrática, inclina as verdes frentes do seus parques à suave brisa marinha, e mostra ao longe o prestigioso mar Tirreno, com suas embarcações leves e rápidas. Gérard de Nerval continua a sonhar:

> Dans la nuit du tombeau, toi qui m'as consolé,
> Rends-moi le Pausilippo...

Nápoles são estes museus cheios de mosaicos, destas lembranças de Pompeia soterrada em plena vida, quando os proprietários ainda pensavam escapar de chave na mão, e os criados, com seus cestinhos de figos, e os amorosos, com seus abraços, e as crianças, no refúgio das suas salas...

Nápoles são estes quarteirões antigos, que a última guerra esfacelou; são estas lojas modernas, estes cafés onde qualquer brasileiro pensará na sua pátria com mais saudade; são estes restaurantes populares, imensos, de comidas típicas e vinhos regionais, – onde todos cantam e riem com uma expressão vigorosa de feliz cordialidade. São estes amigos que se fazem de repente, e já parecem tão antigos como no tempo de Partênope. São estas horas que deslizam sem tormento, como se fosse fácil viver.

Segunda-feira da Pascueta (dia santo parece que mais venerado que o domingo de Páscoa), as moças do lugar lavam o rosto com água de rosas. As pastelarias continuam a vender seus ovos coloridos, suas *pastieri* perfumosas, e uma outra torta, semelhante aos folares portugueses, como um guardanapo de massa, entrouxado com ovos dentro. Há chocolates em forma de ovo e de sino. Em Roma, havia ovos verdadeiros, enchidos com chocolate. Havia também chocolates de todos os tamanhos em forma de peixe e ovo, e um pão com forma de pomba de asas abertas. Doçaria folclórica, impregnada de símbolos do cristianismo primitivo.

Nápoles são estes campos para o norte. Esta granja maravilhosa, que percorremos com a delícia de quem vai respirando verdadeiramente a atmosfera clássica. "Não vos esqueçais de purificar vossos estábulos, queimando neles a madeira do cedro..." E a tarde envolve o gracioso bezerrinho que se aproxima ainda muito desconfiado deste mundo que está pisando. É a voz do eterno Virgílio, povoando o crepúsculo: "Agora, vou cantar o mel, esse orvalho do ar, esse doce presente dos céus..."

Nápoles é a superstição dos anéis de prata que nos garantem poderosíssimos contra o mau-olhado e outras adversidades. Nápoles é este viver entre coisas belas e trágicas: o mar e o vulcão, Sorrento – a sorridente – e Pompeia, a sufocada em cinzas. Este divino viver, em que as coisas materiais não merecem grande atenção; em que a pobreza é uma fatalidade que a alegria supera; em que a paisagem transforma qualquer desgosto em beleza, e emancipa – já muito à maneira oriental – o sofredor do sofrimento.

Nápoles é E.A. Mario, o grande compositor de canções napolitanas, que me vem visitar como se fôssemos amigos desde o princípio do mundo, e me oferece as suas composições como uma braçada de flores...

Vola, canzona, o va doce e curtese
pe'cielo e mare,
pe'll'aria è chesti matenate chiare...

Tudo parece, realmente, alado, sob este céu de Nápoles. "*Vola, canzona...*" Talvez por isso, por essa leveza de alma que a paisagem favorece, é que, segundo se diz, depois de ver Nápoles já se pode morrer.

[1953]

Ainda Nápoles

Ao longo da bela terra napolitana, entre o golfo e o Vesúvio, ninguém pensa em desgraças, tanta é a alegria das cores do céu e das árvores, de Pórtici a Resina. Entretanto, aqui foi Herculano, Herculano que agora não veremos, também soterrada, como Pompeia. (O próprio guia que vai descrevendo a paisagem tem uma voz feliz, e devemos louvar-lhe a paciência, indo e vindo todos os dias com o seu ônibus cheio de turistas fanhosos que lhe perguntam as coisas mais extravagantes.)

Logo ali adiante, Torre del Greco, com todos os seus corais e camafeus: compraremos tudo, para todos os parentes e conhecidos – camafeus claros e escuros, com dançarinas de véus ao vento, perfis de deuses, amores alados... Iremos vender camafeus e corais pelo mundo afora? Disputamos o mostruário todo, nunca vimos prodígio igual, abotoaremos todos os nossos vestidos com estes broches, sairemos daqui ilustrados, de alto a baixo de figuras e cenas da Mitologia...! – Felizmente, o ônibus tem de partir, e todos nos atropelamos com embrulhos, troco, e a eterna melancolia turística: há sempre uma coisa mais bonita, que não tivemos tempo de comprar!

E estamos de novo sob a luz de ouro do caminho, a luz que faz cintilar os verdes da paisagem com reflexos metálicos, a luz que encontraremos em Pompeia, a passear pelos espaços livres, a sentar-se nos pedestais partidos, a correr como um claro animal pelos jardins em restauro, a contemplar aquelas solidões de estranha vida.

A grande aflição é pensar-se que, naquele dia de agosto do ano de 79, quando o Vesúvio começou a atirar, por entre os seus vinhedos e florestas, a chuva de cinza e pedra que afogou esta cidade e a vizinhança, os habitantes destas ruas, os frequentadores deste Fórum, deste Anfiteatro, destes templos, os proprietários que tinham mandado pintar as suas casas, os artistas que só se ocupavam de seus ofícios, os tintureiros que estavam entretidos com as cores dos panos, as moças que cuidavam de seus amores, e os velhos que tinham alguma esperança de fazer um bom negócio, de curar qualquer doença, de ver cumprido algum voto, ou de obter alguma vitória política, – todas essas criaturas, sem falar nas crianças que pulavam nestes jardins, nos animais que puxavam seus veículos, nos cães que guardavam o tesouro de seus amos (“*Cave canem!*”) foram envolvidas por aquela chuva, sem tempo para perguntas nem despedidas, com a boca tapada pelos vapores sulfurosos, e uns ficaram para sempre ali de bruços, outros de costas, uns com a sua cestinha de figos, outros com as suas chaves, com as suas joias. E devia ser um grande dia de sol, deste sol que nos envolve, e tudo devia brilhar festivamente como agora, na paisagem verde e azul.

Agora, estão as colunas sem estátuas, os edifícios sem teto, os templos sem deuses, os teatros sem público nem gladiadores, as lojas sem donos nem fregueses, as casas sem habitantes, e pelas ruas passamos nós, com muita ignorância e alguma curiosidade, enquanto o guia gasta os seus pulmões e os seus músculos repetindo as mesmas histórias, diante de uma porta, de um átrio, de uma êxedra.

E assim ficamos sabendo que a Casa do Poeta Trágico, com um nome tão sugestivo, não era, propriamente, de um poeta assim, mas tomou esse nome do belo mosaico que decorava o *tablinum;* e que La Fullonica era uma tinturaria com bacias de bronze onde se pisavam as roupas, e prensas para as alisarem; e que na Casa do Cirurgião foram encontrados muitos instrumentos do seu ofício.

Há grandes casas, como a do Fauno e a di Pansa, mas, em geral, as outras parecem pequenas, e, embora de dimensões muito agradáveis, seus aposentos são de tamanho reduzido. O que vale são as pinturas, as decorações, a graça da distribuição das peças. Pompeia deveria ser uma cidade encantadora, dessas que se tem vontade de carregar ao colo. Nem sempre se pode ter ideia muito segura de um conjunto, porque inúmeras decorações murais, bem como bronzes, ornamentos, estatuetas foram levados para o Museu de Nápoles. Só mais tarde se resolveu deixar no seu lugar o que se fosse encontrando. Por isso, poderemos admirar algumas salas, tal como foram, e alguns jardins que vão sendo reconstituídos. A Casa dei Vettii é toda um prodígio de arquitetura e pintura, com pilastras, frisas, quadros mitológicos, estátuas. Uma deliciosa luz passa pelas cores das paredes: vermelhos e amarelos dourados tornam-se familiares aos nossos olhos. Onde foi que vimos esses tons? Em antigos tapetes do Oriente? Em velhas pinturas de museus? Nas cavernas de Ajantá? Em vestidos solenes, que vimos algures, na infância? E os pequenos "amores" correm pelas paredes, como crianças vivas, em graciosas atitudes, imitando cenas da vida diária.

Ao mesmo tempo que são íntimas e velhas conhecidas nossas, estas casas de Pompeia, com o pátio interno que o Oriente nos legou, e esse gosto do peristilo e dos espelhos d'água, – ficam de repente artificiais, como se não fossem construídas, mas só desenhadas, e não devessem abrigar ninguém, e não passassem de cenografia! Aparecem máscaras pintadas ou modeladas, e é como se estivéssemos diante de pequenos teatros minuciosos, e a vida fosse – ai de nós! – apenas uma fugaz representação.

Aqui morou um banqueiro, ali habitaram os gladiadores e, mais além, Marco Lucrezio, que foi sacerdote de Marte e decurião da cidade. Gente que imediatamente reconhecemos e incorporamos ao nosso grupo, juntamente com o padeiro dono da mó, do forno e da tenda que o guia nos vai apontando.

Há lugares mal-afamados, que não se mostram a todos os visitantes. Há desenhos, esculturas e inscrições pelas paredes e pelos vestíbulos que ficam também por mostrar. É a intimidade mais grosseira das cidades e dos homens, – esse lado obscuro dos viventes, que torna a acordar, em toda a sua amarga sinceridade, depois de quase dois mil anos de sepultamento.

As ruas são estreitas, empedradas de blocos irregulares. Passam calçadas altas, ao longo das casas. Para se ir de uma calçada a outra, três pedras maiores fazem uma espécie de ponte. Os nomes de algumas casas parecem títulos de poemas: "Casa da parede negra"; "Casa do citaredo"; e uma tem mesmo o nome de um poeta grego, "Casa de Menandro", por ter sido encontrado aí o seu retrato pintado.

O teatro e a pintura parece terem sido duas paixões de Pompeia. Por toda parte, mosaicos, alegorias pintadas, estilizações de flores e animais, cenas da Mitologia. Tudo isso sobreviveu: e Helena e Andrômeda continuam a sorrir, e Hércules e Príamo continuam a lutar, malgrado seus donos estarem perdidos

Crônicas de viagem 2 ✦ 75

no pó, e seus pintores, e os que um dia pararam diante destes quadros recentes, para fruírem a sua beleza.

Depois, há a Strada dei Sepolcri, com seus túmulos muito antigos, de um lado e de outro, e muito mais longe, lá para o Noroeste, a Villa dei Misteri, que data de dois séculos antes de Cristo, com pinturas alusivas à iniciação dionisíaca.

Pompeia não é triste, mas o seu velho esplendor, subitamente apagado, convida à reflexão. O morto encolhido em suas cinzas, com os dentes à mostra, o cãozinho torcido no seu estertor ficam ali, negros e eternos, enquanto o sol doura as colunas, os jardins, as estátuas e os arbustos. Ficam ali, ou vêm conosco para sempre, ligados à nossa ternura, à solidariedade do que não pudemos evitar nem socorrer.

Mas é como se todos estivessem para sempre vivos, e as águas cantassem, e os banhistas fossem para as termas e as famílias se preparassem para algum espetáculo, hoje à noite, e os políticos estivessem ativamente preocupados com suas eleições, e os meninos desenhassem e escrevessem pelos muros suas torpezas, e as flores desabrochassem nos jardins e os homens bebessem pelas tavernas. Tudo está presente, não apenas os mortos que foram moldados na sua cinza. Tudo está vivo e feliz, redimido pela rude morte. Tudo está leve como os pequenos "amores" e "hermes", que, alados, pairam pelas paredes, ao longo das frisas, ou pelos jardins ou pelos átrios, refletidos no espelho d'água.

[1953]

"Quando a vaga beija o vento..."

Iremos a Sorrento. E basta dizer esse nome, para se começar a sentir felicidade. Uma felicidade lírica, enfeitada pela voz de Goethe na "Canção de Mignon": "Conheces o país dos laranjais em flor?"

Nem os turistas nos perturbam, embora pareçam dez mil; nem o almoço nos interessa, com seus quilômetros de macarrão. Iremos a Sorrento. "Na folhagem sombria, há frutos de ouro, acesos..."

Todo o esplendor de Nápoles vai ficando aos nossos pés, na curva do golfo. Poder pensar – tão perto – em Ulisses, na gruta do Oráculo, no túmulo de Virgílio, nos dois Plínios, – um, a morrer sob a lava, procurando salvar as vítimas de Pompeia, outro, a descrever numa carta a catástrofe a que assistiu... E agora, em Sorrento, a lembrança de Tasso, enleada na pequena canção que continua a aflorar: "No céu azul, a brisa passa, docemente..."

Iremos a Sorrento, onde o golfo termina a curva do seu abraço; e dos altos penhascos veremos o mar azul escurecer até se fazer de puro índigo, até se transformar em profunda safira, sem deixar de resplandecer. E sentiremos lá embaixo, os mistérios cintilantes de Capri, que é como a pedra de um anel. E respiraremos, na altura, o ar embalsamado por limoeiros e laranjais. "Tranquilo, o mirto, e alto, o loureiro, esperam...."

Tudo quanto os turistas fizerem, será perdoado. Podem até gritar, que os acharemos melodiosos, na delícia do lugar suspenso entre azuis de água e céu. Deixaremos Castro Alves falar:

Tua voz é a cavatina
Dos palácios de Sorrento,
Quando a praia beija a vaga,
Quando a vaga beija o vento...

Esqueceremos tudo, isto é, todas as coisas cairão sozinhas em esquecimento, apenas porque a beleza do caminho não permite nenhuma lembrança de lugares, pessoas ou fatos. E com certeza ninguém ouve o que o guia procura explicar, nem certamente ele está explicando nada certo: apenas murmura vagas palavras que lhe sugerem as pedras; aquela espuma que, ao longe, vem correndo, toda branca por cima de tanto azul; o ouro do sol que enche a verdura de borboletas amarelas; e este ar de cristal, e aquele rosto que assoma, e a trepadeira que desce em cascata por uma parede...

Iremos a Sorrento. E é segunda-feira da *Pascoeta*, dia que me preveniram ser ainda mais importante que o domingo de Páscoa. Hoje, as moças lavaram o rosto com água de rosas, a fim de parecerem mais lindas. Talvez por isso as achamos tão belas, como flores nacaradas, pelos jardins, pelas portas, olhando de longe, sonhadoramente, o ônibus dos turistas que passa.

Ah! "conheces o país dos laranjais em flor?" – Pois deve ser aqui. E os laranjais não se estendem assim pela terra, abandonados ao sol e à noite. Não. Os laranjais estão dentro de casa. Formam esta densa e perfumada família que um alto tabuado protege. Pela porta aberta, vemos a escura folhagem, onde não brilham agora frutos acesos. E nada comove tanto como este convívio. O imóvel rebanho vegetal se aconchega dentro do tapume de madeira que o envolve. As meninas entram e saem, perdem-se na sombra, dançam, bordam, cantam – é como no tempo da Nau Catarineta...

Mas tudo isso é numa escarpa, acima de um muro de pedra, do muro em que uma das meninas, muito séria, deixa o seu rosto cor-de-rosa, imóvel e contemplativo como o das Madonas. De modo que se tem vontade de pregar naquele muro os corações de prata e as velas dos ex-votos, com uma palavra do engrandecimento por tanta beleza.

E mais adiante há uma rua com casas de muitos andares, cujas portas estão todas abertas, e em cada uma se vê uma cena deliciosa: a senhora que toma café, a outra que se balança numa cadeira, a outra que conversa com as visitas... E, se não estou vendo mal, são senhoras que usam bandós, vestidos compridos, fichus de renda, camafeus... Senhoras que eu creio conhecer de retrato, muito românticas, que cantam coisas lindíssimas ao bandolim... Ah! senhoras que não encontraremos em mais nenhum lugar... E por que não paramos? Por que não desistimos da viagem? Por que não galgamos aquelas escadas, não entramos naquelas salas, não começamos a cantar, também:

> *Tua voz é a cavatina*
> *Dos palácios de Sorrento...?*

Mas diante de nós passam carros com cavalos que levam nas tranças grandes laços de fita... (Onde estais, cavalinhos de Delhi, com vossos pingentes, colares, borlas, xailes, campainhas, plumas? Onde estais, com vossos carrinhos, tão leves, encarnados e amarelos, que vi rolar pelas ruas cor-de-rosa?...) Não estou vendo mal: são mesmo cavalos, tão ajaezados que parecem rainhas orientais de um tempo que não existe. E há muita alegria pelas ruas, e muita gente pelos cafés, e as senhoras em todas as portas de todos os andares daquelas casas indescritíveis gesticulam, falam, representam, sentam-se, levantam-se... E é tão bonito que nem se sabe o que foi feito dos dez mil turistas (pareciam dez mil) que riam, gritavam, tiravam fotografias, no começo da viagem. Agora, justamente, que se devia fotografar, todos estão cansados, bocejam, acendem cigarros, – enquanto os cavalos voam, – ouso dizer mesmo que sorriem, com os seus laçarotes de seda e as suas flores.

A vida é rápida demais. Não se tem tempo nem para amar uma cidade. Tudo isto desaparece logo, para ficar dubiamente na memória como um sonho meio desfigurado. Desaparece a praça, desaparecem as casas e seus habitantes, o caminho já vai sendo saudade, os laranjais se escondem nas suas altas cercas, as meninas se apagam, mesmo aquele perfume penetrante vai para trás, como um véu no vento.

"No céu azul, a brisa passa, docemente..." As sereias regressam às suas grutas e os poetas se imobilizam na sua imortalidade. Os dez mil turistas (pareciam dez mil) desmancham-se na fumaça dos seus cigarros.

Mas à noite, em Nápoles, todos nos encontramos outra vez no Zi Teresa, onde cada qual procura o prato que lhe parece mais extravagante. E o golfo é ali perto e nós estamos ao mesmo tempo na mesa e no ar, nos laranjais e na ilha, e jantamos humildemente, como pobres mortais que somos. Mas a praia beija a vaga, e a vaga, o vento...

[1953]

Voz em Florença

A primeira coisa que avisto é Santa Maria Novella, – o que me faz retroceder seis séculos, e encontrar as sete jovens senhoras que, num canto dessa igreja, se propunham a abandonar a cidade invadida pela peste, e às quais Boccaccio iria atribuir as famosas histórias do seu *Decameron*.

Antes, porém, de alcançar a velhíssima igreja, o perfumista da esquina me faz voltar ao Rio de Janeiro da minha infância, com a sua essência de Violetta di Parma, verdemente concentrada em vidrinhos com flores roxas. (Repentina saudade de senhoras antigas que delicadamente colocavam uma gotinha do extrato no lóbulo da orelha...)

Santa Maria Novella, muito gasta, pela História e pelo tempo, acha-se, neste momento, deserta. À sombra de suas paredes cobertas de pinturas célebres, de seus altares, de suas capelas, de seu claustro, pode-se ficar longamente evocando essa eclosão de arte que marcou o destino de Florença desde o seu nascimento. Quase se chora de ternura, para agradecer a essas criaturas a mensagem de beleza que deixaram na terra, quando por ela passaram, com a brevidade natural da vida humana.

Mas Florença não é uma cidade de lágrimas: é uma cidade de contenção. Seus palácios de pedra se equilibram com uma exatidão de jogo geométrico, sem superfluidades ou divagações arquitetônicas. Não se pode dizer que seja uma cidade triste, ou adormecida. Mas não se sabe bem se é uma cidade que pensa ou uma cidade que sonha. Dentro dela, não se avistam jardins nem árvores, mas fachadas, colunas, torres, escadas, arcos, nichos com santos, estátuas, galerias. Tudo parece cristalizar-se em mineral. Mesmo a curva das portas e janelas é uma concentração de linhas retas. As paredes são pacientemente construídas de retângulos. Todas as curvas procuram ser extremamente sóbrias, sem nenhuma declamação. Essa elegância de Florença é uma das suas forças de deslumbramento. Sua arquitetura contém um potencial de silêncio que conduz ao êxtase.

Olha-se de repente para o meio da cidade e encontra-se ali, ao mesmo tempo enorme e como ao alcance da mão, o Duomo da Catedral de Santa Maria del Fiore: o Duomo, que é como uma tulipa fechada, que é como um coração pousado numa praça. Daí em diante, o passeio torna-se completamente lírico.

Nem os turistas têm ânimo para consultar os seus guias de viagem. Param, maravilhados, diante do Batistério, com os olhos perdidos nessa "Porta do Paraíso" cinzelada por Ghiberti, que descreve, com minúcias de ourivesaria, cenas do Antigo Testamento, – desde a história de Adão até o encontro de Salomão com a rainha de Sabá.

Em alguma esquina, algum alfarrabista pode estar vendendo livros quase tão antigos quanto essa porta do século XV. E a vida tem um encanto novo, entre os livros e a Catedral: a vida torna a ser uma coisa realizada com o pensamento e o coração, livre dos fenômenos cotidianos, arrebatada para um plano eterno, onde se sente completa felicidade.

Campanile de Giotto sobe em suas cornijas sucessivas: as artes e obras humanas desfilam diante dos nossos olhos, nos baixos-relevos de Pisano e della Robbia; depois, são janelas, nichos, – a inquietação da altura das torres, com suas pedras tão longe, tão acima da tranquilidade primitiva do chão.

Pode acontecer que uma procissão se encaminhe para a Catedral, e entre pela sua porta, ladeada de santos: e que se vejam capuchos medievais e tochas acesas, à doce luz do dia florentino, – esta luz que doura e suaviza as pedras dos palácios, e acorda nos mármores suas raízes verdes e encarnadas.

Florença tem o tamanho exato das cidades para sempre amadas: tudo se pode conhecer num dia; e todos os dias haverá, dentro dela, coisas para ver – até o fim do mundo, que é mais do que o fim da vida. Num dia se pode saber onde estão as igrejas e os palácios, os museus e as praças, as pontes e os jardins. Mas nunca se chegará ao fim da história de cada coisa, tão densa foi aqui a obra artística, apesar de todas as lutas político-sociais que formam o contrastante fundo desta cidade altiva e serena.

No entanto, quando se chega à praça della Signoria, tem-se a sensação de que a altiva e serena cidade nos apresenta um cenário intencionalmente agressivo. Antes de olharmos, sequer, para o lugar, marcado no chão, onde foi queimado em 1498, Savonarola, sentimos o passado movimentar-se, como numa estranha representação teatral, em que as estátuas fossem protagonistas. Cosmo I, do alto do seu belíssimo cavalo, contempla o espetáculo: Perseu, com a espada na mão direita, suspende, na esquerda, a cabeça de Medusa, que acaba de cortar e de cujos cabelos quase se sente o sangue ainda escorrer. De um lado, as Sabinas são raptadas; do outro, Hércules abate o Centauro; Judite corta a cabeça de Holofernes, Ajax segura o cadáver de Pátroclo. É um espetáculo de violências, que transborda da Loggia dei Lanzi para a Piazza della Signoria, aos pés do robusto Palácio, de severa torre. E o Davi de Miguel Ângelo, de tão poderosas mãos, contempla também todas as cenas em volta, e bem se vê que pensa em Golias.

Se entrarmos por estes palácios, poderemos ficar a vida inteira contemplando suas riquezas artísticas, – porque são museus belíssimos e copiosos, o palácio della Signoria e a galeria degli Uffizi. Mas, se passarmos adiante, se caminharmos para a margem do Arno – que passa em curva, pela cidade, como trança de mulher em retrato antigo, – chegaremos a essa ponte que há cerca de sete séculos passa por cima d'água carregada de pequenas lojas de ourives, essa ponte inverossímil, com pequenas construções agarradas ao seu flanco e refletidas no rio em que parecem prontas a naufragar a qualquer instante.

Por estes caminhos, há uma voz que murmura:

Venite a intender li sospiri miei...

Seus suspiros abriram-se nestes ares, há muitos séculos. Do suspiro de nascimento ao de orfandade; do de amor ao de melancolia; do de indignação ao de espanto, – porque este foi um homem que, assim à distância, vemos despojado de tudo e sempre em luta com o seu destino, com sentenças de morte posando sobre a sua cabeça, – quase queimado vivo, quase degolado, até morrer no exílio, e, por isso, capaz de cantar o Inferno, o Purgatório e até o Paraíso. Um homem que sofreu de amor, que lutou por ideais políticos, que, certamente, nunca foi visto, em vida, tal qual era e que, sozinho, e tendo tudo contra si, foi capaz de se imortalizar. E nada me lembra tão vivamente Dante como estas torres de pedra, que vencem o seu próprio peso e se empurram a si mesmas para o céu, conhecendo as profundidades dos abismos inferiores por onde passaram.

Já vão muito longe as águas do Arno que viram esses estranhos tempos, que conheceram o anguloso perfil desse homem de vontade e sonho, e, por acaso, o vulto daquela que o faria dizer:

Tutti li miei penser parlan d'Amore...

"De amor é todo o nosso pensamento", – aqui à margem do Arno, por essa vaga sombra cuja voz ninguém mais esquece. Por esta ponte, passa Beatriz, humana e sobrenatural, sem saber ela mesma o rosto seu, que vai ficar em verso, – e o lugar que este homem lhe dará no Paraíso.

A bela Florença cheia de estátuas e torres, contornada, ao longe, pelos jardins do Bóboli, escurece mansamente, e vai ficando pouco a pouco deserta. Os passos da noite repercutem com certo som fantástico por entre estas figuras degoladas, ao longo desses palácios fechados, dessas igrejas adormecidas.

A voz de Dante continua:

Venite a intender li sospiri miei...

E assim vamos atrás dessa voz que sabe tantas coisas, que viu os homens depois da morte, em espantosos lugares, como em espantosos lugares se viu, por toda a vida...

[1953]

Cidade líquida

Às nove horas, estávamos ainda em Florença, e eis que nos aproximamos de Veneza, onde almoçaremos. Muito pensamento e muito amor se vai deixando por toda parte. Igrejas, palácios, praças, estátuas, pinturas, ruas, pessoas (o pintor que, na ponta de uma escada muito alta, brincava com a morte, como um acrobata; o copeiro que me explicava as delícias do *pollo alla diavolo*; o rapaz dos livros antigos, numa esquina próxima ao Batistério – "*mio bel San Giovanni...*" –; a velhinha que me queria vender uma blusa...). Cada viajante encontra motivos especiais de enternecimento. Cada viajante é uma criatura diversa.

Ficou para trás Fiésole, com seus ciprestes, onde se sente melhor o silêncio e a alma se reconcilia com o mundo, e chega-se a admitir que não é sempre uma indignidade viver.

Ficou também Pistoia. A insistência daquela placa pelas esquinas: "Cemitério Militar Brasileiro". "Cemitério Militar Brasileiro..." Um cemitério tão claro, tão sereno, protegido, ao longe, pela moldura suave das montanhas. Um cemitério de jovens, – sem tristeza. A tristeza é ver como ficam os capacetes dos soldados, depois de uma rajada de metralhadora. E recordar que, dentro daquele capacete, esteve uma cabeça querida. Ou mesmo uma cabeça qualquer. Mas os fazedores de guerra são lá criaturas humanas!

E foram ficando lugares, lugares com árvores que começavam a sentir a primavera. Campos de um verde discreto, como o das tapeçarias antigas. Cidades, de repente encontradas, e logo distantes. Pessoas entretidas em seus ofícios. E a riqueza histórica de cada sítio, que acorda no simples nome indicado no mapa...

Em Veneza, a água começa logo que se deixa o trem. O gondoleiro solícito equilibra montes de malas na sua gôndola, com assombrosa segurança. As gôndolas parecem cisnes pretos. Parecem instrumentos de música, com aquela ferragem que têm, na ponta, como cravelha. O gondoleiro com o seu remo para cá e para lá é como um rabequista com seu arco. Vamos assim musicalmente pelo Grande Canal, e antes de chegar a cada esquina d'água o gondoleiro clama: "Ou! Ou!"... – o que é incomparavelmente mais belo que a buzina de um automóvel.

Do outro lado não respondem? Podemos seguir.

O dia é cinzento, as ondas são turvas. Pelas ruas d'água, boiam cascas de frutas, pedaços de papel, coisas velhas. Mas as fachadas dos palácios perpendiculares à água têm uma imponência melancólica e inatual, em suas linhas góticas, bizantinas e do Renascimento. Num dia de sol, tudo isso brilhará: torres, agulhas, cúpulas, arcos, varandas, – e a travessia do Canal será um passeio fantástico, ao balanço das negras gôndolas oscilantes. Mas assim com o céu nublado e um leve chuvisco, parece que se está dormindo e sonhando um sonho milenar.

O gondoleiro anuncia a ponte do Rialto, aponta palácios: o Ca d'Oro, de arquitetura gótico-veneziana, de varandas rendadas à oriental, e terminando, no alto, como num jardim de lanças. E, de um lado e outro, palácios, nomes, séculos, estilos. E a ponte da Academia, e mais palácios, e mais séculos e mais nomes...

E a gôndola atraca. Mastros pintados de vermelho e branco, à beira d'água. Palácios que são hotéis. Hotéis que estão cheios de flores. A janela sobre as águas. Os canais que se fundem uns nos outros e mudam de nome... Gôndolas e *vaporetti* que partem para o Lido cosmopolita, para Murano, paraíso do vidro...

Ao lado, a Piazzeta, com o Palácio dos Doges, soleníssimo, – a Biblioteca e a Casa da Moeda, que imortalizam Sansovino. As colunas com o leão e São Teodoro. E logo a praça, onde a Basílica de São Marcos fulgura, com seus zimbórios, como um prato de ouro com opulentos frutos exóticos.

Apesar da chuva, os famosos pombos fazem descer e subir pela grande praça a rumorosa cortina de penas do seu voo. Compraremos cartuchos de milho para essas adoráveis criaturas roxas, bronzeadas, alvas, cinzentas, negras, que pousam nos nossos ombros, nas nossas mãos, fazendo girar os olhinhos redondos como sementes brilhantes. Ficamos todos estampados de patas de pombo: do sapato ao chapéu. Mas eles levantam voo, acima das colunas da praça, das cornijas que a circundam... Para onde vão? Lá para o Campanile? Para o grande sino em que os dois mouros há mais de quatro séculos estão batendo as horas?

Quanto a nós, iremos também para muitos lados: entraremos na resplandecente igreja que é como o limiar de outro mundo, pisando o velho pavimento precioso, onde as cores cintilam como rubis e crisólitos. Contemplaremos as figuras bizantinas que, em seus reinos de ouro, vivem acontecimentos eternos. Passaremos sob o batismo de luz que cai das abóbadas, que vem pelas paredes, de santo em santo, até o chão. Descansaremos a alma em relíquias, alabastros, objetos encantados, de ouro e milagre. Pensaremos, entre as colunas do pórtico deslumbrante: "Os céus se abriram e o Espírito desceu como uma pomba".

Iremos por essas ruas, quase constantemente d'água, passaremos uma pequena ponte, chegaremos a uma casa antiga, com tetos de traves, grandes arcos ogivais, um odor e um silêncio de tempo imóvel: e assistiremos ao nascimento das rendas.

As rendas, em Veneza, têm uma história de amor e mar. Foi um marinheiro que trouxe de presente para a noiva uma planta marinha, a *Halymedia opuntia*, que os homens do mar conheciam como "renda das sereias". Quando o noivo partiu, a moça, para se entreter, começou a imitar com linhas a planta que ganhara. E assim nasceram rendas de bilro, de agulha, com volutas, rosinhas, relevos, e mil outras invenções que provam como é grande a imaginação de quem espera.

Olharemos para essas belas coisas com certa melancolia, pensando naquele verso de Rilke que fala nos olhos das rendeiras deixados sobre as rendas. O que há, nestes desenhos, além dos fios! O que não se vê, sendo tão presente! Falas, cenas, todo o teatro da vida, entre estas leves flores e estes delicados arabescos. Quanto pagaremos por enxovais assim? Que levamos conosco, na ponta de um pequeno lenço? Quantas vidas humanas levam as noivas presas aos seus suntuosos véus? – As rendeiras continuam com suas invisíveis agulhas, com seus fios invisíveis, tecendo com coisas invisíveis as imensas rendas que admiramos. E uma pálida moça, de ar monacal, fala-me de Cencia Scarpariola, uma velhinha que conservou os segredos técnicos das rendas, e graças a quem foi possível o seu renascimento.

Iremos ao Palácio dos Doges, – e enquanto a chuva cair em torrentes sobre a cidade, habitaremos com Minerva e Netuno, refletiremos diante da velha imagem da Justiça, participaremos de grandes guerras pintadas, assistiremos deslumbradoras Ressurreições e Ascensões, veremos doges, deuses, santos, erraremos entre panóplias, armaduras, elmos como focinhos de macabros peixes de aço. E o vento estremecerá nas vidraças, e a chuva caminhará com passos fantásticos pelas varandas, pelas escadas, andará conosco até as antigas prisões, e, mesmo sem a ouvirmos, sentiremos a sua friagem nessas cavidades de sombra e pedra.

E com a chuva andaremos pelas pontes, subindo e descendo entre canais, como num carrossel d'água. E d'água parecerão os vidros de Murano, com suas flores, seus pássaros, seus animais marinhos, – naturezas mortas e transparentes, orvalhadas de ouro, que parecem mesmo nascidas do mar e do sol.

Do alto do Campanile, veremos a cidade líquida, – Veneza reclinada em almofadas d'água, com os cabelos d'água descendo até os pés, e as rendeiras a tecerem vestidos d'água, e os vidros soprados d'água como bolhas de cristal, búzios, sereias...

Se por um momento a chuva parar, se uma rosa azul se abre no céu, mocinhas venezianas me oferecerão, na sua barraca, bichinhos de vidro, colares, canivetes em forma de gôndola, binóculos de um centímetro, por onde se avista Veneza pequenina, com a radiosa fachada de São Marcos...

Mas logo a chuva tornará a cair, e entraremos numa destas casas de chá de onde se pode ver, mais do que o chá, a dança dos pombos que hesitam entre o milho e a chuva. E descobriremos, pelas paredes, o Carnaval de Veneza, e sentiremos saudades de um tempo de movimentos suaves, com o pequeno mistério da meia-máscara e longos vestidos encrespados na cauda, em giro de valsa. Uma saudade de coisas que pudessem ser, ao mesmo tempo, boas e belas.

E com chuva iremos por estas ruas interiores, onde há vitrinas repletas de objetos encantadores; e continuaremos a andar, como quem se quer sentir perdido, para saber-se depois recuperado, até as igrejas afastadas, até as ruas vazias, nesta cidade em que as ruas se chamam *calle* e *rughe* e onde um pintor que não encontro me prometeu mostrar as semelhanças entre o falar veneziano e o português.

E assim a andar de ponte em ponte, e a querer sempre voltar a São Marcos, para sucessivos batismos de luz, – chegaremos à casa de algum amigo que nos receberá como um fidalgo em seu palácio. E tudo quanto amamos estará presente: a arte em redor, a cultura, essas boas maneiras que são simplicidade e cortesia, esse bem-estar que não é feito de luxo nem de coisas inúteis, mas só do essencial, e quase mesmo só do espírito. Uma tranquila grandeza, em que todos se acomodam felizes. E, no meio da mesa, um doce fabuloso, circundado de uma coroa de calda batida, que se transforma em fios de cristal. Um doce que merecia ser cantado em verso. Um doce de rendas de vidro, de chuva tecida, uma invenção de diamantes que deslumbraria o próprio Marco Polo.

Entraremos em museus, veremos exposições, recordaremos a glória de Leonardo, sentiremos a felicidade de poder admirar tanta gente que fez de Veneza esta maravilha pousada n'água, como Vênus na concha. Escultores, pintores, arquitetos que amaram o seu ofício e, porque o amaram, construíram coisas eternas.

Esperaremos em vão por um sol que não vem. Os relógios gritarão que temos de partir, e veremos com tristeza que a gôndola que se aproxima é a que nos vai levar. Como um cisne. Como um instrumento de música, uma *vina* indiana, misto de pássaro e barco. Longa, simples, com a cauda de metal reluzente: cravelha para a música da viagem pelo Canal.

É muito cedo, faz muito frio, a chuva imperceptível torna tudo cinzento: apaga o Palácio dos Doges, com suas flechas, suas varandas, suas colunas, suas imagens... Apaga todos os palácios, bizantinos, góticos, renascentistas... E as pontes... E as águas... E o ar... Veneza transforma-se em recordação, em saudade. Numa realidade viva, sem aparência nenhuma.

[1953]

Entre o chão e o céu

Ai de nós! que não se pode mesmo servir a dois senhores... Não se pode ser uma grande cidade ativa e industrial e possuir o jeito delicado e precioso de joia das pequenas cidades eternizadas em sonho. Não se pode ter, ao mesmo tempo, estes arranha-céus, este movimento das ruas de Milão e aquele silêncio, aquela ausência, aquele ambiente sobrenatural de Florença ou Veneza...

Ainda assim, no meio desta pressa, à trepidação dos homens e veículos, o Duomo oferece as finas rendas de mármore que os arquitetos lhe teceram durante cerca de cinco séculos. Bicos, pontas, ogivas, flechas, – no meio da praça o Duomo parece um navio de inumeráveis mastros, todo de espuma e lua. Talvez, alta noite, o burburinho da cidade sossegue, e se possa receber de outro modo esta visão. Quando houver solidão e silêncio em redor. Mas este é um momento desfavorável: todo o tráfego das ruas transborda nesta praça, e parece roçar o vetusto monumento. Os passantes não têm afinidade nenhuma com as suas linhas góticas. E, pelas esquinas, há rapazes que vendem, às escondidas, carteiras de cigarros americanos. No restaurante que se alastra pela calçada, uns reclamam bifes, outros examinam garrafas de vinho contra a luz, e tudo é tão rápido e confuso que o olhar não se pode deter na majestosa catedral para descobrir suas estátuas, seus torreões, seus pináculos, suas colunas e janelas.

Pois acontece que, sob aquela fabulosa, imensa, indescritível construção, existe uma cripta. E, nessa cripta, uma arca. E essa arca tem uma tampa, que sobe e deixa ver, através de uma redoma de cristal, o corpo de São Carlos Borromeu, que dorme ali há mais de trezentos anos, todo fulgurante de seda e joias, – como um relâmpago.

Quando se quer ver algum resto das antigas edificações da cidade, há sempre automóveis, passantes, famílias inteiras que desfilam, conversam, – e não se pode ver nada. Em Milão, não se pode parar, – pelo menos aqui no centro da cidade.

A Itália é um lugar maravilhoso, não só pelo que se vê à superfície como pelo que está oculto em lugares subterrâneos. Nunca sabemos o que está lá no fundo, debaixo dos nossos pés: pode ser um templo, uma estátua, uma outra rua, com suas construções... – Agora há uns operários descobrindo umas antiguidades numa pracinha: abriram o chão, prepararam o canteiro de serviço, e andam lá por baixo, nos seus descobrimentos. Os passantes chegam, olham, perguntam, – continuam.

E, enquanto se desce a essas antigas profundidades, a cidade cresce em altos edifícios, e há quarteirões vertiginosos, modernos e imponentes, de arrojada construção, com fachadas de vidro e terraços de esplêndida vista.

E há também a Feira. A Feira com seus pavilhões, muita gente, muita gente, e o Brasil sempre atrapalhado com esses certames, – pois evidentemente há uma entidade maléfica sempre disposta a fazer enguiçar a propaganda do Brasil no estrangeiro. Se a propaganda depende de uma pessoa, a essa pessoa acontecem todas as coisas capazes de nos deixarem inutilizados. Se depende de objetos, é certo que não partem ou não chegam, ou não são recebidos na hora oportuna. De modo que, nesta Feira, temos uns metros de seda insignificante, um pé de sapato, – para dar ideia da nossa indústria de tecidos e couros, – uns grãozinhos de café, uns saquinhos de aniagem, e outras coisas assim. Sem que ninguém tenha culpa. Porque ninguém tem culpa: os pedidos são feitos, as remessas com certeza também, – mas a tal entidade maléfica se incumbe de zombar de nós, o que, afinal de contas, é triste e desagradável, – porque esta gente toda veio à Feira, e anda de pavilhão em pavilhão, e gostaria de ver muitas coisas do Brasil, de conhecer melhor o Brasil, esse país onde cada italiano tem um parente ou conhecido trabalhando.

Assim, além da melancolia de deixar a Itália, também partiremos de Milão com a amargura deste pavilhão sem graça que é a nossa representação na concorrida Feira. Desfolharemos a nossa mágoa por estes céus que nos levarão até a Holanda. Pensaremos em amigos queridos que, a esta hora, descansam em suas casas, nas cidades que vamos sobrevoar. E fechamos os olhos para recordar Amesterdão, seus canais, suas casas antigas, de fachadas triangulares, como senhoras de outros tempos, com penteados pontudos e vestidos cor de cobre.

E começamos a ouvir de enormes realejos, grandes como altares, que costumam passar pelas ruas, e tocar sob as janelas, de onde mãos invisíveis atiram pequenas moedinhas reluzentes, com o perfil da rainha. E vemos os belíssimos cavalos monumentais, de grossas patas, de farto pelo, que fazem parar o trânsito, para, com a sua corpulência, poderem dar a volta, em certas encruzilhadas. E sentimos o aroma dos campos, – aroma de leite, manteiga, – onde aparecem louras meninas irreais, com suas toucas brancas e seus socos amarelos. E vemos, pelas esquinas das ruas, as barracas de flores. (Oh! este ano, afinal, chegaremos por ocasião da festa das tulipas!)

E, ainda no ar, e longe de tudo isso, sentimos as salas, os museus, desses calmos, diáfanos museus da Holanda, sem guias, sem atropelo, onde cada quadro encontra sua atmosfera, e o visitante pode conversar longamente com as imagens e suas histórias, sem tumulto, pressa ou ruído.

E vemos as ruas cheias de bicicletas, durante o dia; cheias de silêncio, à noite, e de solidão. E, muito longe, muito longe, como num sonho de criança, moinhos girando, carrilhões, barcos de pesca, vestidos policromos...

E somos como a nossa memória, como um grande livro de estampas: o Oriente com suas montanhas e rios, seus templos, suas bailarinas; sedas douradas, guizos, elefantes, torres com muitos deuses, lagos cobertos de flores, palácios de mármore e nácar; músicas, incenso, carros de búfalos, burrinhos anões carregados de trouxas; bazares, jardins, tapetes, plantações, laboratórios, estudantes, raios de sol captados num espelho, moendas de cana, blocos de rapadura, ao pôr do sol, numa praia, o perfil de pescadores...

E as areias do Paquistão, e os seus camelos pelas ruas, e o seu bazar de ouro e prata...

E de repente a Itália, com suas cidades cheias de estátuas, palácios, templos...

E de um mar a outro mar, e ao longo de tantos rios diversos, através de tão longos tempos, esta pequena coisa que somos, – a criatura humana, – a caminhar, a trabalhar, a sofrer, a pensar, a resignar-se, a construir, a morrer, a sobreviver...

E, entre idiomas que se vão diversificando, a presença constante dos mesmos sonhos, do mesmo esforço, de uma ansiedade comum de realizar suas inquietações tão grandes, nesse pequeno prazo que vai do nascimento à morte de um homem, ou do começo ao fim de um ciclo histórico. E tudo isso entrelaçado, nas dimensões do espaço, do tempo e do pensamento, por estas terras que vamos vendo e as outras, que não vimos, e as que não veremos, afogadas em pó.

Mas o aeroporto cintila. E a noite é pura e fria. Pisamos o chão da Holanda, este chão que os homens construíram, que tiraram do mar, como numa história encantada.

[1953]

A ilha dos Pássaros

Gostei muito da baronesa, que, além de grande conhecedora de Ciência e de História, também acreditava em fantasmas. E foi ela que nos sugeriu uma visita à ilha dos Pássaros. Uma ilha onde os pássaros são protegidos de todos os atentados; uma ilha só deles. (Mas é por amor? ou por guano? ou os seus ovos conterão alguma vitamina fabulosa...?) A baronesa descrevia a ilha artificial como se a tivesse construído com as suas próprias mãos. E eu pensava nos pássaros, que deviam ser de muitas cores e feitios, cada um com a sua música e o seu voo, – todos tão mansos que poderiam pousar, como os pássaros indianos, nos nossos ombros ou nos nossos chapéus.

No cais, havia crianças de cabelos quase brancos, brincando sozinhas. A baronesa falou de Mitologia, de gente loura, de deuses solares. Eu estava preocupada com aquelas crianças tão sozinhas, pertinho do mar, com umas vozes tão pequeninas que, por mais que gritassem, ninguém as poderia, ao longe, ouvir... Mas as crianças holandesas são muito ajuizadas, e não havia nenhum perigo.

Então, o carro entrou no barco, o barco foi andando, e de repente estávamos na ilha. Tudo era cinzento. Areias desmoronando-se sob os nossos passos, pequenas plantas selvagens torcendo-se, cobertas de areia, – porque um áspero vento soprava, movendo névoas, areias e espumas, levantando os nossos vestidos e desmanchando o nosso cabelo.

Rangiam os nossos sapatos entre conchinhas, cascas de ovos, naquele caminho movediço por onde agora passávamos. Sentamo-nos um pouco, à espera dos companheiros que tinham ficado para trás. Examinamos os sapatos e os fios das meias, e, enquanto comíamos uns biscoitos trazidos num saco de papel muito grande, conversávamos de flores e folhas. A baronesa conhecia tudo: o lugar em que nascem miosótis, pequeninos como grãos de orvalho azul; os minúsculos gerânios que se chamam assim porque, quando perdem as pétalas, parecem um biquinho de grou, que, em latim... etc.; os pequeninos amores-perfeitos que ainda se chamam violas; as urtigas, que todos conhecemos pelo tato; – e essas tristes plantas, como verdes cabelos despenteados e secos, que ninguém pergunta como se chamam, nem creem que tenham nome, e tratam de ervas agrestes.

Eu já me sentia tão comovida que só pensava em escrever um poema à vegetação da ilha dos Pássaros; mas mergulhávamos a mão no grande saco de papel, tirávamos novos biscoitos, e continuávamos a conversar não apenas de nomes de flores, de sua forma e evolução, – mas de suas virtudes, porque de umas se fazem xaropes para bronquites, de outras, diaforéticos para o sarampo: a baronesa sabia tudo isso, e conversava sem pretensão nenhuma, ilustrando a conversa com flores e folhas que ia descobrindo em redor.

E como os nossos amigos eram tão vaporosos, ou faziam tais digressões, que ainda não os avistávamos, começamos a recordar Andersen, aparições de fadas, histórias antigas de crianças maravilhosas, crédulas e boas, que, pouco a pouco, só vão existindo mesmo nos livros.

De repente, um grupo de pessoas se destacou no horizonte de areia; lá vinham os nossos companheiros, misturados a outros visitantes. E, na frente, um homem que andava com ritmo diferente, e que a baronesa logo identificou: era o guarda dos pássaros. Incorporamo-nos ao grupo, sem maiores gestos nem exclamações, pois não estávamos em terra latina, mas numa ilha nórdica, envolta em vento, neblina e areia.

O guarda dos pássaros era um homem risonho e rosado, meio encanecido, com um blusão de veludo azul e umas calças de lã, um binóculo preto, pendurado numa fita, e esse ar privilegiado de quem é dono de um mistério, do qual, de vez em quando, revela alguma coisa, com alegria e precaução.

Os outros visitantes eram uns jovens silenciosos e atentos, de enormes sapatões, com esplêndidas máquinas fotográficas, e esses olhos pensativos, de futuros sábios, onde já se avistam laboratórios completos, cheios de lâmpadas, lâminas, líquidos, lentes...

Éramos só três estrangeiros: os outros se entendiam todos na sua língua, que nos era traduzida e abreviada, como esses sumários dos livros científicos.

Do prólogo, concluía-se que os pássaros habitavam lá longe, e tinham hábitos muito singulares: faziam seus ninhos nas moitas daquelas miseráveis ervas sem nome, ou simplesmente na areia, conforme a raça a que pertenciam. Uns, alimentavam-se de vermes; outros, de peixe, porque uns eram terrestres, outros, marinhos. Tudo estaria muito bem, se não houvesse um outro pássaro maior, que, de repente, baixava não sei de onde, e comia os filhotes da ilha de maneira verdadeiramente cruel, e quase humana, pois a sua atração era o interior dos pobrezinhos que, desse modo, se viam subitamente esvaziados pelo inimigo, como faz um homem ao chupar um ovo quente.

A natureza, porém, que, segundo rezam os livros, é sempre sábia, depois de inventar esse monstro, inimigo dos pássaros, viu que devia inventar outro pássaro, inimigo desses monstros, – e assim se organizou uma espécie de polícia dos ares, destinada a reprimir tamanha crueldade. E tão sábia foi a natureza, desta vez, que já os inventou fardados! – pois, conforme se ia ver, esses pássaros policiais tinham, na ponta da asa, um distintivo!

Havia ainda outros pássaros de uniforme, – eram os que se ocupavam do choco e dos bebês, porquanto as pássaras nem sempre davam grande exemplo de mães exemplares nem de esposas submissas, – coisa que o guarda afirmava com certo constrangimento, pois, afinal, era o *Guarda* (e também havia no grupo várias senhoras...). Mas, em ciência, a verdade acima de tudo! Aliás, foi o que consegui deduzir, dito numa língua, traduzida noutra, e entendido na minha. E o guarda falava muito, apontando para cá e para lá, na largueza daquelas dunas cinzentas, enquanto os visitantes, franzindo as pálpebras contra a luz sutil e brava como um estilete, olhavam muito longe, para aqueles lugares onde, segundo a explicação, havia ninhos, aves, agressores e vítimas, pássaros caídos, filhotes estripados, e até um sábio alemão, metido numa tenda, a interpretar ali rente à areia, a psicologia dessas criaturas dos ares.

Assim fomos andando naquela direção. De repente, o guarda estacou. Fez uma preleção sobre um ninho que ali estava, num punhado de ervas; quando se encontrava um ninho daqueles, era certo haver, ali perto, o ninho de outro pássaro, pois eram como uns vizinhos camaradas que, enquanto um vai passear, o outro toma conta da casa. E havia mesmo o outro ninho. E os moços tiraram fotografias, enquanto o guia explicava por que uns ovos eram verdes e outros pardos, o que me causava admiração, pois, para mim, eram da mesma cor, e com as mesmas sardas. E assim continuamos: outro ninho, outros ovos, outras fotografias, e mais ninhos e mais ovos, – e, afinal, havia tal abundância de ovos que os pássaros nem procuravam mais ninho, nem esconderijo, nem cova, nem palha, nada: soltavam-nos, assim, coitadinhos, por aqui e por ali, misturados às conchas quebradas, rolados do céu como estrelas caídas. De que maneira poderiam os pássaros saber quais eram os seus, entre tantos ovos assim expostos na areia?

As donas desses ovos andavam pelos ares, passeando, mirando outros horizontes, conversando com as amigas, comendo, folgando, amando... Os ovos que esperassem, pois há tempo de nascer e de morrer, de ser concebido e de ser chocado.

Então, o guarda anunciou que os pássaros estavam ali por perto, e que os ia espantar, para que levantassem voo. As mãos colocaram as máquinas fotográficas em posição; os olhos pensativos se ajeitaram nas lentes; ficamos todos concentrados, com a respiração suspensa. O guarda correu, como quem se fosse afogar... e oh! um grande bando de pássaros se levantou daquelas areias foscas, rompendo as asas prateadas contra a solidão fria do céu. Tudo aquilo cintilou de repente como um fogo de artifício, passou como uma cortina vastíssima, como um campo de espigas de cristal.

Depois foram voltando, baixando, e pareciam, aos meus olhos, gaivotas muito brancas, muito nítidas. Mas o guarda e os visitantes, com seus olhos, seus binóculos e sua experiência discutiam as cores dos pássaros: uns, tinham uma peninha castanha na ponta da asa; outros, uma pintinha preta, do lado de lá...

De volta, o guarda apontava direções, caminhos, que íamos seguindo, obedientes. As mesmas plantas, na mesma areia, misturada às mesmas gastas conchas, e a frágeis cascas de ovos... Mas tantos ninhos que precisávamos andar em fila indiana. Ovos por aqui e por ali; uns maiores, outros menores (agora, com a luz, começo a perceber que uns são pardos, outros esverdeados). As mães normais punham quatro; as desnaturadas parece que ficavam menos fecundas. (Sozinhos, os pobres ovos! Que vontade de cantar canções de berço!) Pisávamos com mil precauções. Parecia um cemitério de ovos. A certa altura, um filhote morto. Igualzinho ao ovo, mas com penas: o biquinho para o ar, o vento nas pluminhas castanhas, os olhinhos fechados, como a lutarem ainda com a luz fria do céu.

Mais adiante, o inimigo, também morto. Lindíssimo. Grande como um cisne. Branco. Marmóreo. Uma escultura de asas abertas na areia. Pensávamos em Lúcifer.

Foi quando o guarda, risonho e rosado, se tornou veemente. Explicou que os matavam, para que os pássaros sobrevivessem. E mais: iam aos seus ninhos e sacudiam-lhes os ovos, para que gorassem. Os ovos do predador eram enormes, pardos e lustrosos. Dentro, imaginai: um caos de clara e gema, tudo misturado, desunido, sem poder ser cartilagem nem pele nem sangue nem voo nem voz... O olho sem se encontrar, a asa desmanchada, – ah! um relógio partido, enquanto o sul vai passando... Fiquei muito triste. Preferiria que esses casos ornitológicos fossem resolvidos pela Polícia Especial dos ares, sem intervenção humana. – Bem, mas o inimigo é sempre mais forte...

E fomos andando. A vida é assim mesmo. Os sapatos rangiam na areia, os moços fechavam as máquinas fotográficas, o vento levantava as roupas, inchava as capas. Um vento muito frio.

Pisávamos com cuidado. As conchas do chão eram brancas, roxas, azuis. Conchas lisas, conchas crespas. Todas se partiam entre os dedos como folhas secas.

Longe, a tenda do sábio que estudava os hábitos daqueles pássaros. Devia estar escrevendo: "Tudo aqui se passa como no reino dos homens..." (Mas pode ser que escrevesse coisa muito diferente...) E a fita preta dos binóculos ia para cá e para lá, torcida pelo vento.

[1953]

Pequenas notas

Quanto mais viajo, mais me torno antiturística. Como pode a bela Itália ter sossego com estas ondas e ondas de forasteiros que a atravessam de ponta a ponta, como formigueiros em mudança? É verdade que, indústria tão bem organizada, em país de tanta abundância artística e tanta variedade de paisagens e costumes, só pode dar este resultado que vemos. E fico triste ao pensar que turistas são como essas pessoas que querem visitar à força uma celebridade qualquer e, quando o conseguem, não adianta nada – não a entendem suficientemente para justificarem a perda de tempo que lhe causaram, ou a pequena perturbação do ritmo de sua vida.

Mas os turistas aumentam todos os dias. E a primavera já vem, cheia de jacintos e violetas. (Há qualquer coisa errada, neste mundo...)

***

Tenho a alma cheia de campo, depois de atravessar estas distâncias que levam ao Agro Romano. Os camponeses tomam um punhado de terra, desmancham-na entre os dedos, tomam-lhe o cheiro, sorriem... Nós só vemos aquele pequeno torrão escuro, que se desagrega; eles, não: eles estão vendo semeaduras, colheitas, o vento folgazão, a chuva maternal, o sol poderoso, mulheres, crianças, a casa levantada, a mesa posta... Os olhos dos camponeses são feitos de paisagens prósperas. Estas são criaturas que não podem ser separadas da terra. A terra é o seu corpo, e sua alma. Ramos, raízes, flores, tudo isso está em seus braços, em seus cabelos, em seu rosto. A menina que arregaça para o sol a boca vermelha é irmã das papoulas e anêmonas; e parece que a apanhará, agora mesmo, entre as ervas e as pedras, e a leva para enfeitar a casa, como em dia de festa.

***

O gentil amigo que tão bem discorria sobre vinhos italianos, e fazia uma espécie de narrativa histórica dos diferentes pratos regionais, também nos apontou, quando passávamos por Marinella, a residência da famosa estrela de cinema. Houve um silêncio. (Oh! que péssimos turistas somos! Pois não conviria parar, e tentar obter um retrato e um autógrafo?!) Depois, falou-se de Civita Vecchia, de coisas de guerra, de reconstruções, e até o fim não houve mais silêncio algum. (É que, diante daquela forte realidade da terra, de mar, de céu, o cinema era uma coisa artificial, pálida e sem sentido...)

***

Não podemos escapar a Metastasio! O século XVIII, na nossa Literatura, tem sempre uma recordação de suas cantigas. Cláudio, Gonzaga, outros mais, responderam aos mil suspiros e sussurros dos seus melodramas. Mas também Raimundo Correia, tão longe, no tempo, não parece ter guardado nos ouvidos estas palavras?

> *Se a ciascun l'interno affanno*
> *Si leggesse in frente scritto,*
> *Quanti mai che invidia fanno,*
> *Ci garobbero pietá!*
> *Si vedria che i lor nomici*
> *Hanno in sens; e si ridnos*
> *Nell parere a noi felici*
> *Ogni ler felicitá.*

Como quem voltasse de uma ópera assoviando uma ária, e depois escrevesse:

> Se...
> Tudo o que punge, tudo o que devora
> O coração, no rosto se estampasse;
> ....
> Quanta gente, talvez, que inveja agora
> Nos causa, então piedade nos causasse!
>
> Quanta gente que ri, talvez, consigo
> Guarda um atroz recôndito inimigo...
> Quanta gente que ri, talvez, existe,
> Cuja ventura única consiste
> Em parecer aos outros venturosa!

Os versos de Metastasio são da *azione sacra* escrita em Viena, denominada "Giuseppe riconoscito" por ordem do imperador Carlos VI, e representada com música de Persile na Semana Santa de 1733.

* * *

Em qualquer lugar do mundo, uma coleteira é uma senhora que faz coletes. Mas aqui em Roma existe uma que é um espírito da escultora trabalhando com cetins, elásticos, barbatanas e colchetes. Ela não pergunta às freguesas: "Qual é o seu número?" e tira secamente da prateleira o artigo que lhe pedem. Não, esta não é como as outras. Esta contempla a freguesa de perto, de longe, de frente, de lado, abre os braços, fala de museus, desenha no ar perfis de sílfides, e sua linguagem é tão aérea, transparente, lunar, que antes de comprar o espartilho a candidata já se sente reduzida às dimensões a que se destinam aqueles aparelhos. Quando, porém, tal redução é visivelmente impossível, – coisa fácil de acontecer não só a quem mora na Itália, mas até a quem por lá passa, dada a generosidade das massas e dos vinhos, – então é que a escultora se revela insigne psicóloga. Discorre sobre a solidez da beleza clássica, planta-se na sua loja como um mármore num robusto pedestal, declama com inspiração clássica o elogio dos deuses triunfais e convence a interlocutora, um pouco humilhada com o seu peso, de que a beleza feminina é essencialmente exuberante. (A julgar pela intensidade da sua representação, quase se poderia dizer – essencialmente calipígia.)

Tudo isso, porém, deusa, náiade ou sílfide, naqueles invólucros de seda rósea, com todos aqueles ganchinhos e fitas e rodelinhas de borracha e rendinhas franzidas de que ela é autora, e que apresenta com a mesma dignidade com que um poeta firma um poema.

Mas, na verdade, as freguesas é que firmam seu livro de impressões e de encomendas, encantadas com o resultado dos seus coletes, cintas e objetos afins. E, se nós valemos pela quantidade de sonho, ilusão, felicidade que distribuímos pelos nossos semelhantes, esta senhora não pode ser esquecida na sua obra, muito mais de filantropia que de comércio. Tem-se até vontade de engordar, para emagrecer pelo seu processo, que não reside tanto, talvez, no enfeite de suas barbatanas, como na sua eloquência, no seu entusiasmo, na sua sugestão.

***

Ora, há um poeta italiano que todas as antologias registram, seja qual for a sua tendência. Um poeta nascido em 1887, e que publica desde 1916. Chama-se Vicenzo Cardarelli, e seu poema "Adolescente", que é dessa época, vem sempre nelas transcrito, sozinho, ou seguido de outros, mais recentes. Alegra-me quando abro uma antologia, encontrar esse nome, e reler o seu poema. A beleza, afinal, é uma coisa indiscutível. O poema descreve uma adolescente clara e límpida, inocente ainda, mas já diante dos problemas, mais ou menos tristes e turvos, do mundo que a aguarda. (Como uma estátua branca sob um arco sombrio.) E o que eu mais amo são estas duas linhas finais;

> ... o il sasggio non è che un fanciullo
> che si duele di essero cresciuto.

Volto sempre a ler todo o poema, relativamente longo, só para ter o prazer de saborear essas duas linhas. (Atitude também infantil, que confirma a saudade expressa nos versos. A saudade de não ser para sempre criança.)

***

Jantamos num restaurante que tem como gênio familiar a suave sombra de Rafael. O privilégio da beleza é esse: pregam-se cartazes, acorrem turistas, faz-se muito barulho, reina uma certa vulgaridade no ambiente. Mas, quando tudo isso para, é Rafael que sobrevive. Então, por amor a Rafael, escolhe-se um cantinho discreto, onde se possa não apenas comer, mas, sobretudo, pensar no artista, na sua eternamente jovem sombra.

Pois nesse momento vem outra jovem sombra, tão jovem que nem a sua voz está completamente formada, e canta canções napolitanas para os brasileiros presentes. Entre uma canção e outra, há um pequeno sonho de amar. É que essa jovem sombra romana encontrou-se um dia com uma jovem sombra do Brasil, pouco mais ou menos como Dante e Beatriz na ponte de Florença. *(Mutatis mutandis... Muito mutatis mutandis...)* E, por esse motivo, o canto põe uma acentuação de saudade invencível, nas suas palavras, e, quando murmura: "*... anima e cuore...*" estende o olhar para muito longe, até as praias do Brasil, que decerto jamais avistará...

Todo este carinho por nós é a serviço de uma sombra. Nós, que viemos pela de Rafael, viramos sombra de sombra, para o jovem cantor. E que mais somos, na verdade, senão sombras de sombras? Não era Alain que dizia isso?

[1953]

Roma, turistas e viajantes

Grande é a diferença entre o turista e o viajante. O primeiro é uma criatura feliz, que parte por este mundo com a sua máquina fotográfica a tiracolo, o guia no bolso, um sucinto vocabulário entre os dentes: seu destino é caminhar pela superfície das coisas, como do mundo, com a curiosidade suficiente para passar de um ponto a outro, olhando o que lhe apontam, comprando o que lhe agrada, expedindo muitos postais, tudo com uma agradável fluidez, sem apego nem compromisso, uma vez que já sabe, por experiência, que há sempre uma paisagem por detrás da outra, e o dia seguinte lhe dará tantas surpresas quanto a véspera.

O viajante é criatura menos feliz, de movimentos mais vagarosos, todo enredado em afetos, querendo morar em cada coisa, descer à origem de tudo, amar loucamente cada aspecto do caminho, desde as pedras mais toscas às mais sublimadas almas do passado, do presente e até do futuro – um futuro que ele nem conhecerá.

O turista murmura como pode o idioma do lugar que atravessa, e considera-se inteligente e venturoso se consegue ser entendido numa loja, numa rua, num hotel.

O viajante dá para descobrir semelhanças e diferenças de linguagem, perfura dicionários, procura raízes, descobre um mundo histórico, filosófico, religioso e poético em palavras aparentemente banais; entra em livrarias, em bibliotecas, compra alfarrábios, deslumbra-se a mirar aqueles foscos papéis e leva, para tomar um apontamento, mais tempo que o turista em percorrer uma cidade inteira.

Quando lhe dizem que há sol, que o dia é belo, que é preciso sair do hotel, caminha como empurrado, cheio de saudade daqueles alfabetos, daqueles misteriosos jogos de consoantes, daquelas fantasmagorias das declinações. Posta-se diante de um monumento, e começa outra vez a descobrir coisas: é um pedaço de coluna, é uma porta que esteve noutro lugar, é uma estátua cuja família anda dispersa pelo mundo, é o desenho de uma janela, é a cabeça de um anjo que lhe conta sua existência, são as figuras que saem dos quadros e vêm conversar sobre as relações entre a vida e a pintura, é uma pedra que o arrebata para o seu abismo interior e o cativa entre suas coloridas paredes transparentes.

O turista já andou léguas, já gastou as solas dos sapatos e todos os rolos da máquina, – e o viajante continua ali, aprisionado, inerme, sem máquina, sem prospectos, sem lápis, só com os seus olhos, a sua memória, o seu amor.

Na maior cidade do mundo, o turista sabe logo num dia onde se vendem todas as coisas pelo preço mais baixo possível: o tempo que o viajante leva para conhecer uma rua, contemplar um rio, subir a uma colina.

Os olhos do turista são a sua máquina. Como se não soubesse ver as coisas diretamente, e sim através da sua reprodução. Se o viajante lhe pergunta: "Já viu o Pantheon? Já viu Caracalla?", o turista responde, radioso: "Claro! Tirei muitas fotografias!" E o viajante sente uma vaga humilhação, por não poder ver assim facilmente nada, por serem seus olhos tão lentos em deslizar pelas cores, pelas sombras, pela qualidade das pedras, pelos seus relevos, pelas suas proporções, pela intenção que ali as colocou, pelo vulto dos artesãos que ali estiveram, e as dispuseram, e discutiram sobre a obra, e a contemplaram, e seguiram, cada um para seu lado, anônimos, e desapareceram. Mas o turista já comprou mapas, bilhetes de excursão, broches, gravatas, – já viu tudo, já vai partir para outras cidades, de onde voltará, naturalmente: sempre se volta a Roma, quando se tem o cuidado de atirar para trás uma moeda de despedida na Fontana di Trevi.

Para o viajante, a Fontana di Trevi é uma aparição mitológica, – aparição que ele não se cansa de verificar. Vai a passos cautelosos pelas pequenas ruas modestas – pode acontecer até passar pela Via Dell'Umiltá – e de repente está fora do mundo: a praça é como uma concha que o recebe e transporta. A fonte é um festival de deuses, entre águas sussurrantes que surgem por todos os lados, prateadas, verdes, espumantes, encaracoladas, sob o olhar de Netuno circundado de tritões e de cavalos que ainda estão saindo do mármore... E a luz entra pela água transparente, verde e azul e branca, cheia de bolhas, de ondulações, de rendados desenhos, – e o viajante ouve o fino clarim no alto do monumento, sente as figuras saírem de seus nichos, os cavalos sacudirem as crinas orvalha-das, e Netuno declamar suas invenções marítimas. Porque a Fontana di Trevi é um teatro de água e mármore diante do qual o viajante deslumbrado pensa no papa que a mandou construir, nos artistas que a criaram, nessa água que Agripa mandou canalizar de longe, para os seus banhos, e nos namorados que agora a bebem, com a esperança de fazerem durar o seu amor...

O turista fotografa as belas fontes de Roma e sente-se feliz, porque as leva consigo, no papel. (Às vezes, a algum ocorre comprar alguma, ou arrancá-la do lugar, para enfeitar o seu jardim, noutros países: mas em geral aparece uma autoridade que se opõe a essa curiosa ideia.) O viajante, em Roma, também gostaria de mudar certas coisas, – mas para restituí-las aos seus antigos sítios: portas, colunas, estátuas que perderam seus edifícios, seus palácios, seus tem-plos, seus pedestais, seus nichos, nessa grandiosa superposição de Roma, em que os séculos todos se abraçam e confundem.

O viajante, em Roma, sente-se perdido, cercado por essas sobrevivências que o solicitam, que se impõem ao seu pensamento, que exigem a sua atenção para velhíssimos pormenores de sua história. Que poderão elas dizer ao turista apressado, ao venturoso turista que passa por elas como as salamandras pelo fogo, sem se impressionar?

O viajante olha para as ruínas da Roma antiga, e já não pode dar um pas-so: elas o convidam a ficar, a escutá-las, a entendê-las. Dirige-se a um museu, a um palácio, a um jardim e tudo está repleto de ecos, que os guardas, – às vezes um pouco violentos – não têm, decerto, paciência ou gosto de ouvir.

No alto das colunas, das fachadas, dos pórticos, das igrejas, deuses, reis, imperadores, santos, anjos lhe acenam, quando, por acaso, não estão entretidos uns com os outros, em fábulas, evangelhos, poesia, hinos celestiais.

Não tem sossego, de modo algum, o viajante: fora desse mundo imortal, outras mil coisas o comovem, humanas e ainda recentes: ali esteve Mozart, ali Wagner, ali Keats... No cemitério, Shelley... (E pensa em Goethe, em *Sir* Walter Scott, em Stendhal...)

Pensa nos poetas romanos, quando passa ali pelas ruínas; e, se chega às Catacumbas, crê que nunca mais poderá voltar à luz do dia, que irá entrando pela terra adentro até os abismos da morte, a decifrar pelas paredes, à luz mortiça do archote, os ingênuos recados cristãos, em seus comovedores símbolos.

O turista já deu a volta ao mundo, e ele, o pobre viajante, ainda está ali, enamorado, tímido, compenetrado da sua ignorância, a contemplar os jacintos róseos, azulados, amarelos que enchem de perfume os jardins do Pincio. Ele ainda está ali, a pensar na Via Appia, no vento que revolve aquele chão de poeiras ilustres; a seguir com a imaginação a água ruiva do Tibre; a recordar o celeiro da casa de Santa Cecília (cheio de grãos de sombra quase prateada); a ver as deusas envolverem-se nos seus mantos de pedra, porque faz frio, e as árvores desfolhadas estremecem ao longo dos muros...

O turista feliz já está em sua casa, com fotografias por todos os lados, listas de preços, pechinchas dos quatro cantos da terra. E o viajante apenas inclina a cabeça nas mãos, na sua janela, para entender dentro de si o que é sonho e o que é verdade. E todos os dias são dias novos e antigos, e todas as ruas são de hoje e da eternidade: e o viajante imóvel é uma pessoa sem data e sem nome, na qual repercutem todos os nomes e datas que clamam por amor, compreensão, ressurreição.

[1953]

Minas em Roma

Todos os dias estas fontes de Roma, claras e sonoras, me fazem pensar nas de Ouro Preto, escondidas tão longe, entre severas montanhas, a repetirem sempre histórias do século XVIII. Hoje, porém, a Fonte da Abelha – esta Abelha dos Barberini que a cada instante se recorda, – é a própria voz de Gonzaga que murmura:

> *Nas folhas viçosas*
> *a abelha enraivada*
> *o corpo escondeu.*
> *Tocou-lhe Marília, na mão descuidada*
> *a fera mordeu.*

Cupido, que a socorre, adverte:

> *Se tu por tão pouco*
> *o pranto desatas,*
> *ah! dá-me atenção:*
> *e como daquele*
> *que feres e matas*
> *não tens compaixão?*

Esse tema da abelha vem de muito longe: de Kalidás e de Anacreonte. Em Anacreonte é o amor que chora, picado pela abelha, e Vênus consola-o, dizendo--lhe que assim também sofrem as pessoas por ele feridas.

Metastasio, que em 1760 tinha composto um "Componimento drammatico per uso della Real Corte Cattolica" com o título "L'Ape", utiliza também o tema, num diálogo entre Nice e Tirsi.

> *Un'ape, oh Dio,*
> *Un'ape m'ha traffita*

– diz a bela assustada.

> *Un'ape, Aspetta*

– responde Tirsi, que lhe beija a mão, cura-a, pede-lhe amor, depois finge ter sido também picado no lábio, para que ela o beije. Nice, porém, é discreta, e a cena fica suspensa.

A essa Nice italiana é que Metastasio pergunta:

> *Nice, Nice, che fai? Non odi come...*

E não se pode deixar de ouvir o eco de Cláudio Manuel da Costa:

> *Nise, Nise, onde estás, aonde? aonde?*

Quase como noutro poema daquele poeta:

> *Tirso, Tirso, dove sei, dove ti ascondi?*

É assim com a recordação dos Inconfidentes que vou caminhando por entre as fontes romanas. Também Marcial desperta:

> *Vai, livro meu, apresentar minhas saudações, como mensageiro cortês, à elegante morada de Próculo. Queres saber o caminho? É este: passarás o templo de Castor, próximo ao da antiga Vesta e da casa de suas virgens sacerdotisas. De lá seguirás pela Rampa Sagrada, para chegares ao venerável Palatino, onde brilham tantas estátuas do nosso glorioso imperador. Não te detenhas, maravilhado, diante do enorme colosso que, a fronte ornada de raios, tem a*

felicidade de ultrapassar a obra de Rodes. Vira, quando chegares ao santuá-
rio do Lieus, sempre ébrio, e onde se ergue o domo de Cibele... Logo depois,
à esquerda, procura uma brilhante fachada, e o átrio de uma alta morada...

– E como se há de esquecer a lira de Gonzaga a um passarinho:

... Toma de Minas a estrada,
Na igreja nova que fica
Ao direito lado e segue
Sempre firme a Vila Rica.

Entra nessa grande terra,
Passa uma formosa ponte,
Passa a segunda, a terceira,
Tem um palácio defronte.

Ele tem ao pé da porta
Uma rasgada janela:
É da sala aonde assiste
A minha Marília bela...

Se ouço Marcial dizer:

A Glória parou à tua porta: por que hesitaste fazê-la entrar, e te aborreces
ao receber o preço de teus trabalhos? Permite, aos escritos destinados a viver
depois de ti, que vivam desde agora, graças a ti: a glória chega tarde, para
as cinzas.

– logo a voz de Gonzaga repercute:

As glórias que vêm tarde já vêm frias...

Se é Virgílio que diz:

Não sou assim tão feio. Outro dia, na praia, mirei-me, quando o mar estava
imóvel, e, se a imagem é fiel...

Gonzaga outra vez responde:

Eu vi o meu semblante numa fonte:
dos anos inda não está cortado...

E assim caminho, relembrando liras de Gonzaga, versos italianos de Cláudio Manuel da Costa, e a tradução que Alvarenga Peixoto fez, da "Merope" de Maffei. E assim recordo a Arcádia e tudo quanto existiu no século XVIII, entre Minas e a Itália. Mas são coisas longas demais para se escreverem agora.

Tudo em redor de mim tem sua história prodigiosa. Muitas coisas que ora brilham sob este leve sol dourado nasceram de sonhos e visões: numa noite de agosto, a Virgem apareceu a um homem que desejava oferecer sua riqueza a Deus, e aconselhou-o a construir uma igreja no lugar onde, no dia seguinte, nevasse. Como esperar neve em agosto? Mas também ao papa a Virgem apareceu, dizendo-lhe que fosse ao Esquilino, onde haveria neve. E foi assim que, no século IV, foi levantada a igreja de Santa Maria Maggiore...

Outro papa sonhou com um anjo de espada desembainhada que anunciava o fim de uma peste: e desse antigo sonho surgiu o belo Anjo que pousa no antigo túmulo de Adriano, esse famoso Castelo Sant'Angelo.

Também a descoberta do corpo da mártir Santa Cecília está ligada a uma visão do papa Pascal, tão preocupado com as suas relíquias. Certa manhã, quando o papa celebrava, apareceu-lhe uma jovem, com a aparência de um anjo, e disse-lhe que era Santa Cecília, que seu corpo não tinha sido levado pelos Lombardos e que se ele procurasse o encontraria...

Por entre esses prodígios, passo. Na Piazza di Spagna, a fonte, em forma de barca, todos os dias me sugere que foi posta ali, à porta de Keats, para levá-lo, com seu invisível barqueiro, ao país da Glória, com que talvez não sonhasse aquela dolorida mocidade.

E continuo para a Fontana di Trevi, lugar do meu encanto, onde gosto de ouvir todos os dias novas fábulas marítimas de Netuno e seus tritões.

Apenas, hoje, os alfarrábios me chamam, na pequena loja próxima, e detenho-me a percorrer as estantes, e a folhear papéis muito velhos, amontoados na pobre mesa. Não há ninguém por ali. O dono da casa está lá para o fundo da casa, um pouco atrapalhado com os seus óculos, a sua idade, e tantos livros antigos.

Da estante, começam a chamar-me velhos autores, velhas histórias, que já não se tem tempo de ler. O mais atraente é Alfieri, a contar a sua própria vida, a descrever suas viagens e aventuras.

Quando já estou nessa curiosa conversa com Alfieri, o dono da casa – oh, talento dos alfarrabistas! a sua perspicácia infalível! – vai buscar num sítio misterioso um pequenino livro, que me traz na mão, com muito carinho: é o "Pastor Fido", de Guarini, em edição rara do século XVIII.

Outra vez, o meu pensamento se volve para os Inconfidentes. Um primo de Gonzaga traduziu essa obra, que parece ter sido considerada, naquele tempo, uma coisa extremamente perigosa, daquelas que davam dez anos de cadeia a quem lesse, traduzisse, comprasse ou conservasse em sua casa... Então, como esses tempos estão um pouco modificados, e o livro tinha tanto significado para o meu coração, olhei para o alfarrabista emocionada, entreguei-lhe uma quantia qualquer, muito longe do valor do meu encantamento, – mas, enfim, a que ele me pedia, – e segui para a Fontana di Trevi que é uma espécie de residência minha, onde fico, em imaginação, não à margem, onde sou vista, mas entre as águas, de tantas cores e tantos sons.

Apenas hoje, entre as ondas verdes, prateadas e azuis, ficarei pensando como um outro poeta naquele "mistério que não abarco/ do que está suspenso entre o violino e o arco..." Pois eu venho de tão longe, tão sem intenções, com o meu século XVIII e os meus Inconfidentes (se posso falar assim) adormecidos ao ritmo desta longa viagem, – e, nesta rua tão escondida, um bom mercador de livros velhos descobre o meu mundo interior, tem o aviso secreto, a visão, o sonho, – quem sabe o quê! – do que é para mim que o "Pastor Fido" de Guarini está guardado lá no fundo da loja, com as suas belas gravuras perfeitas, como se um anjo o defendesse há duzentos anos de todos os desastres e de todos os compradores, para me reservar este momento feliz.

Tudo pode acontecer em Roma, daqui por diante. E já não ouso dizer que estes vultos que contemplo pelos jardins, pelos telhados, pelas igrejas e fontes sejam simplesmente estátuas, e figuras inanimadas. Nem sei que sonhos e visões me esperam. Tudo isto pode ser sobre-humano e vivo. Apuro o ouvido e a vista. (E sobre o meu silêncio correm as fontes claras.)

[1953]

À sombra da pirâmide de Cestius

Quem esteve em Roma e não visitou o Cemitério Protestante não é poeta, nem jamais amou a Poesia.

Para os lados da Porta de São Paulo, a pirâmide de Caius Cestius quebra as últimas noções de tempo e lugar, que ainda em nós tentassem resistir. Caius Cestius tem sua pequena história: pertenceu ao colégio de sacerdotes encarregados dos banquetes divinos, naturalmente em conexão com ritos egípcios. Por ocasião de sua morte, ordenou fossem enterrados com seu corpo certos estofos riquíssimos que possuía. Mas, como as autoridades romanas não o consentissem, em obediência ao texto da Lei, – seus herdeiros venderam os preciosos estofos, e com o seu preço lhe levantaram duas estátuas e este túmulo. (Para vós, herdeiros de Cestius, se assim realmente fizestes, a saudação do passante desiludido dos herdeiros do século XX!)

Não é, pois, uma pirâmide qualquer, esta, de Cestius: é um monumento egípcio, em chão romano; é a metamorfose dos estofos preciosos que um homem antigo possuiu e amou tanto que nem pela morte deles se queria separar; é uma consequência do encontro da lei severa do edil e do eterno respeito dos parentes pela vontade expressa de um morto.

O que restará lá dentro daquele que se chamou Caius Cestius, não posso imaginar, – porque deixou de existir doze anos antes de Cristo. Por fora, sobem estas marmóreas superfícies triangulares que se vão unir no fino vértice a uns quarenta metros de altura. É um grande e respeitável monumento, e quase nada se sabe do seu habitante.

Mas todos os guias de viagem assinalam que à sombra da pirâmide de Cestius se encontra o Cemitério Protestante. Cestius é o marco, o ponto de referência para quem deseja visitar Keats e Shelley, e Severn e Trelawny que são as suas duas sombras protetoras, dois estranhos anjos da guarda daqueles jovens poetas mortos.

Um rapazinho abre a porta do cemitério, e tem-se a impressão de estar em casa de uns parentes antigos que, no momento, não dispõem de muito tempo para cuidar de seu jardim. De modo que as plantas não são muito virentes, e há umas colunas quebradas, uns pedaços de mármore caídos, letras, inscrições, identidades que já ninguém recorda, carinho que já morreu. O amor também tem fim.

Mas o cemitério é muito agradável. É como um fundo de quintal onde a infância descobre o silêncio, os desenhos do sol entre os arbustos, a cintilação da areia na terra seca, e o cheiro vegetal da Natureza.

Quando Shelley o viu, e aqui deixou seu filhinho de três anos, gostou do lugar, como se gosta de um terreno onde se vai edificar uma casa. E descreveu-o: "... é um espaço aberto entre as ruínas, coberto, no inverno, de violetas e margaridas. Poder-se-ia ficar enamorado da morte, pensando-se em ser enterrado num lugar tão delicioso."

Keats e Severn estão lado a lado, como dois irmãos. Dos canteiros geminados, levantam-se as duas estelas brancas, tranquilas, como duas páginas de um livro aberto. Numa, a lira quebrada; noutra, a palheta, e longas inscrições explicativas. Mas, naquela que sustenta a lira, não há nome de morto: lê-se apenas que é a sepultura de um "jovem poeta inglês", cujo nome "foi escrito na água"...

Olha-se para a outra estela, recorda-se uma noite do ano de 1821, quando Severn, o pintor, para não dormir, se entretinha a desenhar a cabeça do amigo moribundo: 3 horas da madrugada e um suor mortal escorria pelos cabelos do poeta a noite inteira...

(Que mundo imenso, neste pequeno recanto do jardim, à sombra da pirâmide de Cestius! – a Inglaterra, um estranho amor infeliz, um adolescente genial que vem buscar na luz da Itália força para viver, cantar, amar. Os críticos quase sempre odiosos; e quanto mais odiosos mais anônimos. – Como se chamavam, os que o desprezaram? – E a Eternidade deste nome que nem aparece na sua estela...)

Tem-se vontade de suspirar com Shelley: "*I weep for Adonaïs – he is dead!*" E os passarinhos, os primeiros passarinhos desta primavera fria, voam, de repente, e deixam balançar o ramo do arbusto que abandonaram.

Vamos, então, visitar Shelley, que está logo ali, – como quem passa de uma sala para outra.

Shelley não teve a sorte de ficar no lugar mais agradável deste cemitério que achara tão delicioso. Talvez seja mais imponente o lugar que lhe coube, – mas não tem aquela solidão que, por pequena e familiar, torna a presença de Keats e Severn tão viva como se os dois artistas estivessem apenas sentados entre aquelas ruínas, e conversassem as coisas que se conversam quando se tem vinte anos.

Há um caminho de pedras, há degraus, há muitos túmulos próximos, há uma grande lápide, há dizeres latinos, há três linhas de Shakespeare... E só o coração do poeta foi enterrado ali, – o coração que Trelawny roubou à pira funerária, num gesto romântico que não se pode esquecer. Como não se pode esquecer que Shelley, ao morrer afogado, levava num dos bolsos um volume de Sófocles, e, no outro, os poemas de Keats, recentemente morto. "Há estranhas histórias de mortes de poetas" – dissera um dia Keats, quando Shelley citava: "Sentemo-nos no chão, e contemos tristes histórias de mortes de reis..."

Tudo isso, e a mão de Trelawny, – que teria de viver quase um século! – a arrancar-lhe o coração do peito, para salvá-lo do total desaparecimento, para transformá-lo "em qualquer coisa rica e misteriosa", ainda com o inocente medo de que Shelley pudesse desaparecer, naquele corpo que ali era queimado.

E estão assim eternos, todos, – como arrancados a um grande perigo, de volta de uma aventura que pareceu triste, quando se agonizava no pequeno quarto da Piazza di Spagna, ou se dava à costa, nas imediações de Viareggio. Tem-se vontade de chorar, por essas agonias solitárias, por esse instante dramático que cada um amargamente atravessou. Mas logo as lágrimas secam, a este sol matinal, a esta brisa perfumada da terra, folhas, umidade, silêncio. Tudo isso foi como um sonho triste, que a mão pura da Glória para sempre afastou.

Tristes são os outros túmulos, os outros mortos, com seus nomes sem auréola; os que tiveram também seus suores de agonia, suas ânsias de naufrágio final, e jazem sob estas lápides, o que talvez ninguém mais visite, – enquanto sabemos que, para sempre, dos mais distantes pontos do mundo passos comovidos os dirigirão para este cemitério a fim de trazerem aos dois poetas um minuto dessa eterna solidariedade que os vivos sentem por aqueles cuja presença na terra excedeu o tempo que lhes foi dado viver, porque trouxeram para os outros homens alguma coisa transcendente, em que todos se sentiram refletidos e realizados.

Seria bom ficar aqui, e reler "Adonaïs" e "Endymion", entre estas lápides quebradas, com estes nomes e datas gastos pelo vento, pela umidade, mortos também em pedras que vão morrendo. A poesia é uma imortalidade das coisas mais efêmeras, – e as palavras de Shelley e Keats não são apenas a sua glória e a de seus amigos, – mas a glória de tudo que existe, – da violeta à urna grega, do rouxinol à atribulada alma dos homens.

Seria bom ficar aqui, mesmo sem ler mais nada. Shelley tinha razão: "Poder-se-ia amar a morte, pensando-se ser sepultado neste lugar tão delicioso..."

[1953]

"Nem sempre..."

Recordo Rilke:

> Nem sempre oferecer aos seus próprios desejos mesquinha ração. Nem sempre agarrar como inimigo todas as coisas. Deixar, uma vez, tudo acontecer, e saber: o que acontece é bom. Também a coragem deve um dia estender-se à beira das colchas de seda, e sobre si mesma dobrar-se. Nem sempre ser soldado. Levar um dia descobertos os anéis de cabelo e o cabeção largamente aberto...

Deixar que o cocheiro nos leve por onde quiser. Ele também é um artista. Como não há de ser artista um homem habituado a conduzir o seu carro – ofício, aliás, de Apolo – por entre vetustos palácios, ao longo de velhas ruínas, com o presente misturado a um passado de glórias e derrotas, conhecendo (a seu modo) imperadores e santos...?

Deixar que este carro desça pela Via Veneto, onde os turistas estendem as pernas pelas cadeiras e bebem aperitivos a qualquer hora do dia. Deixar que os olhos viajem pelas suas roupas coloridas como cartazes e que os ouvidos recebam – nem sempre versos! – a dissonância de suas gargalhadas rebarbativas...

Deixar que as motocicletas produzam à vontade o seu ruído – tão moderno! – e continuar a amar a lírica melodia das fontes para sempre belas.

Deixar que o cocheiro nos anuncie os pequenos restaurantes famosos: onde se comem as melhores massas com talher de ouro (entusiasmos americanos); onde se encontram os mais famosos vinhos, os mais saborosos queijos, – e, enquanto sua mão desenha no ar florestas de *fettuccine* e praias de *gnocchi*, pensar em certa sala modesta onde, – antes que cheguem os turistas – se pode desfolhar em sossego *carciofi alla giudia*, enquanto um gato, numa réstia de sol, pisca um olho preguiçoso e às vezes parece sorrir, calmo, grisalho e filosófico...

Deixar que namorados felizes, sadios e corados, discutam como crianças grandes entre frutas e flores, – e outros, melancólicos, se sentem ao pé das ruínas, e olhem para os escombros como quem se contempla a si mesmo.

Deixar que o cocheiro conte a história de Roma, desde as origens até o dia presente, e seja crítico de arte, ensaísta e arqueólogo, e considero com agudeza, embora de soslaio, tanto as antiguidades soterradas, sobre as quais vão passando estas redes, como o futuro da humanidade ou o fim do mundo.

Deixar que a Sociologia e a Economia sejam assim tratadas, com cifras, estatísticas, hipóteses e conclusões, ao longo do Tibre, que reflete o corpo dourado e verde da cidade, este denso Tibre oleoso e fatigado.

"Deixar uma vez tudo acontecer, e saber: o que acontece é bom." Que tudo se desenvolva naturalmente, sem perguntas, sem curiosidade: contemplativamente. (Quanto se aprende, assim!)

Deixar que uns digam que era lira, outros que era órgão, o instrumento tocado por Santa Cecília; e que seu corpo foi encontrado intacto ou não; e que lhe deram três golpes no pescoço, ou não lhe deram golpe nenhum. E que a posição de seus dedos, depois de morta, era para afirmar sua fé ou apenas um inocente gesto final, sem qualquer sentido...

Deixar que venham as crianças de Trastevere brincar com o cavalinho do carro, e aparecer na fotografia com essa cordialidade que todas as crianças verdadeiras têm, e os homens, coitados, esquecem, perdem, ou não podem usar...

Deixar que a poeira da Via Appia encoste em nosso rosto partículas que pertenceram a vidas variadíssimas, que se levantam da terra agreste, das estátuas partidas, dos túmulos seculares, e sentir a solidariedade do pó que somos e seremos.

"Nem sempre agarrar como inimigo todas as coisas": deixar algumas passarem, e entregar, também, livremente o que somos: achar graça na mesa cambada, na sopa fria, e na quantidade de macarrão que pode ingerir um cocheiro em descanso. Mergulhar no dia lindo com a mesma felicidade com que se mergulha no negrume das catacumbas, e aceitar o momento presente, fátuo, adulterado, turvo, como se aceita o sombrio passado que existe para sempre só por algumas centelhas. (Afinal, só vive o que sobrevive...).

Deixar que a tarde sobre as colinas acorde um tempo de églogas e que, hoje, como outrora, os aproveitadores tomem para si o que aos outros pertence, porque, afinal, a verdade depois vem à tona: *"Sic vos non vobis..."*

> Assim, mas não para ela, a ave constrói o ninho,
> Assim, mas não para ele, tem o carneiro a lã...

Deixar que, um dia, sejam os Virgílios obscurecidos pela mediocridade, e sorrir da vaidade frívola e da cobiça dos imediatistas...

"Nem sempre oferecer aos seus próprios desejos mesquinha reação." Receber o generoso momento: quando os príncipes cantam (embora sem muita voz) e os plebeus também cantam (embora com voz demais); e os amigos nos oferecem raminhos de violetas ou de jacintos; e as modistas, impregnadas da beleza das estátuas, nos procuram convencer de que os vestidos devem ser muito abundantes de pregas e movimentos, pois ainda retumbam por estes muros as rimas do ditado: "Dá-me gordura que te darei formosura..."

Deixar que os artistas falem mal uns dos outros, – pois, afinal, todos querem defender a Arte, mas escolheram esquinas diferentes, de onde se divisa apenas um aspecto daquilo que, ardorosos, defendem... Deixar que sejam contra isto e contra aquilo, porque, afinal, sempre são a favor de alguma coisa... E amar isto e aquilo, e saber as razões do amor e do desamor, e tomar o café sem açúcar, achando muito natural que outros o tomem excessivamente doce e até com creme...

Deixar que o cocheiro se recolha com o seu cavalinho friorento, e caminhar pelo anoitecer, achando boa a pressa de uns e a morosidade de outros, consentindo mesmo que nos pisem os sapatos, estes bons sapatos italianos – que apesar de tão finos também estão como nós, tão isentos, que nem se deixam arranhar, – macios, flexíveis e invulneráveis.

"Também a coragem deve um dia estender-se à beira das colchas de seda..." – e consentir que a memória permaneça acordada, e contemple, compare, ilumine. E que as relíquias das igrejas apareçam no vidro fosco da noite;

e que as portas dos museus se abram para tornarmos a ver figuras que amamos; e as escadas das casas nos convidem a subir para continuarmos a conversar com os amigos que já devem estar dormindo; para que as colinas outra vez nos mostrem a vasta paisagem aos seus pés; para que as vozes de poetas mortos e vivos anunciem sua presença constante em redor de nós.

"Deixar uma vez tudo acontecer, e saber: o que acontece é bom." Que os tempos sejam como foram, como são e como virão a ser. Que tudo tenha a sua liberdade, embora a nossa não concorde, e seja, até de vez em quando, em sentido oposto. Que o sono venha ou não venha, e que se sonhe ou se abra a janela, e o passado permanente dos velhos muros que nos cingem nos faça refletir segundo a nossa capacidade de reflexão.

"Nem sempre ser soldado. Levar, um dia, descobertos os anéis do cabelo e o cabeção largamente aberto..." Nem sempre combater. Algumas vezes apenas cantar. Contemplar, – embora sem indiferença, pois o poeta é um ser de participação unânime. Mas o ar da noite é de uma pureza fria, cristalina, metálica. O ar da noite parece uma grande lente muito polida, por onde se avistam todas as coisas de outro modo.

"Deixar uma vez tudo acontecer." – Por que veio Rilke o dia inteiro marcar a paisagem com o seu contraponto? De que jardim, de que estátua surgiu a sua voz? Nesta Roma poderosa de ferro, fogo, conquista, luta, que significa a palavra desse poeta já fora do mundo, e ao mesmo tempo livre da morte?

Deixar que a pedra e o fogo e o ferro sejam segundo a sua natureza. Mas que a água e a sua melodia possam também ser ouvidas. Que, desde o princípio, o espírito de Deus era levado sobre as águas. A terra era vã e vazia. E as trevas cobriam a face do abismo. Como se lê no "Gênese".

[1953]

Ano muito bom

Certa noite de 31 de dezembro, éramos um grupo de pessoas mais ou menos estranhas umas às outras, que voávamos juntas para a Índia. Nossas relações de conhecimento, muito vagas, datavam apenas de horas. Nossa história comum limitava-se à contemplação de algumas imagens inesquecíveis: o Mediterrâneo, as Pirâmides, imensos desertos pálidos, golfos que o sol coloria com tintas orientais e, finalmente, o céu que se ia tornando noturno, o céu que fora tão grande e parecia pouco a pouco reduzir-se em sombra, e ficar do nosso tamanho, do tamanho das nossas pequenas vidas ali suspensas, com seus mistérios, esperanças e medos.

Éramos pessoas de variados lugares, viajando por variados motivos. Algumas, imersas em leituras edificantes, outras, distraídas com livros fúteis. Umas que dormitavam cansadas, outras que se aferravam ao noticiário de seus jornais, embora esses jornais e essas notícias fossem ficando a cada instante muito mais longe e como sem efeito para os viajantes do céu. E algumas que se entregavam sossegadas ao seu destino, mascando esses grãos e sementes, tão apreciados na Índia, ácidos, adocicados, perfumosos, com que os dentes vão entretendo, resignados, a passagem do tempo.

Éramos também pessoas de sonhos aparentemente diversos: bons indianos que regressavam a seus lares; europeus preocupados com pesquisas de arte e ciência; gente que ruminava negócios muito complexos; gente que refletia sobre a maneira de tornar o Oriente e o Ocidente reciprocamente inteligíveis. Havia de tudo: como convém a uma viagem mais ou menos mitológica. A minha rósea vizinha americana, de sandálias douradas, quando alguém lhe perguntou o que ia fazer por aqueles lados, respondeu com naturalidade que ia passar a noite dançando em Bombaim. E a aeromoça, com seus trajes de anjo, passava por entre esses sonhos tão desencontrados distribuindo equitativamente sementes e balas, enquanto a rósea americana começava a perfumar-se toda, porque Bombaim era uma realidade cada vez mais próxima.

O ano, porém, chegava ainda mais depressa que Bombaim. E em dado momento soubemos todos que, malgrado as extravagâncias dos relógios, era meia-noite, entre as estrelas e o mar.

Para os que tinham deixado sua casa no Ocidente, essa meia-noite se enchia de repente de recordações e saudades. Estrondos de bombas, cascatas cintilantes de fogos de artifício, ondas de música, repiques de sinos, rostos amados, cartões de boas-festas, e, em redor das ceias tradicionais, vozes antigas, vozes recentes, vozes graves, vozes humildes, dizendo frases de amizade que na terra, de tão repetidas, parecem banais, mas, naquela altura, inesperadamente se tornavam miraculosas, com toda a sua potência de felicidade.

Com pequenas alterações, todos levávamos no coração essa velha herança romana de doces ofertas de tâmaras, figos, mel, a antigos deuses que desejaríamos eternamente propícios. Com o mesmo gesto das mãos contemporâneas, entrevíamos em sonho mãos antiquíssimas trocando presentes amistosos. E, sobre as festividades pagãs, o Menino Jesus, num outro plano, recebia a Circuncisão. Tudo isso levávamos conosco: início da vida, início das eras: uma união total, uma infinita alegria.

E a aeromoça, de belíssimos olhos, abria e fechava as asas do seu sári azul servindo-nos suas pequeninas oferendas. E o comandante vinha participar da festa, que era ao mesmo tempo de começo e de fim.

E de repente vimos que estávamos todos de mãos dadas, e todos formulávamos nossos votos mútuos, cada um na sua língua, todos num idioma comum de esperança e ternura.

Foi assim que, entre um ano e outro, uma noite, entre o céu e a terra, o Oriente e o Ocidente estiveram unidos simbolicamente, num fervoroso abraço.

O dia seguinte foi belo, colorido, bizarro, como são todos os dias da Índia. Mas lá o ano não começa em janeiro em todos os calendários. O primeiro dia do ano lunar, o *Gudi Padwa*, é na primavera. Há grandes festas, e quem mastigar folhas de *nim*, nesse dia, terá saúde o ano inteiro. Mas a coisa mais bela é que nesse dia ninguém pode falar com violência e são proibidas todas as manifestações de cólera. Ano bom, verdadeiramente! Quem o pudesse conservar assim, recomeçando-o do mesmo modo todos os dias!

Aragem do Oriente

Estes dias de canícula trazem-me à lembrança os meses passados na Índia, com o termômetro ainda mais alto que o nosso e nenhuma promessa de chuva antes da estação própria. Em alguns lugares, a paisagem tornara-se de um cinzento esbranquiçado – ossos, cal, cinza. O peso do sol era o peso do céu. Diziam-me: "Quando chover, fica tudo verde".

Mas o indiano tem o prazer do ar livre. Os belos jardins públicos estão sempre povoados de famílias que espairecem, passeiam, contemplam as árvores, admiram as flores, maravilham-se com os jorros d'água, os lagos, a sombra, as cores... Ao ar livre trabalha muita gente: barbeiros, costureiros, latoeiros... Ao ar livre fabrica-se e vende-se, brinca-se, estuda-se, medita-se.

As casas foram pensadas para um clima assim. Os aposentos muito altos são rasgados por amplas janelas, grandes portas, e por cima delas, quase junto ao teto, ainda se veem aberturas que facilitam a ventilação. Portas e janelas são para estarem abertas, no verão, protegidas às vezes por leves cortinas, ou por esteiras que é costume molhar, para favorecer a frescura do ambiente. Há palhas perfumosas, que, molhadas, recendem. Fazem-se também quiosques de palha trançada, em alguns lugares nas casas modernas existem, naturalmente, grandes ventiladores suspensos do teto. O resto são varandas, cortinas que se levantam à menor brisa, e repuxos: ar e água, que com o rumor de seus jogos consolam e refrescam.

Por outro lado, a vida indiana é simples e plácida. A comida, leve, quase sempre reduzida a legumes e arroz, um pouco de peixe ou de ave. Muitas frutas: as mesmas frutas brasileiras que nos dão a impressão de não termos saído da terra: caju, manga, cocos, tamarindo, goiaba... E, finalmente, leite, coalhadas, queijinhos moles, creme.

Como o sol, a certas horas, é insuportável, há trabalhos que começam muito cedo, no campo; e nas horas mais quentes do dia um grande sossego de sesta envolve a natureza e as criaturas, principalmente nos lugares pequenos, onde a vida é menos intensa.

A vestimenta típica dos indianos, homens e mulheres, além de sua grande beleza, é a mais inteligente que se possa usar também no verão. O sári é um longo pano (que pode ir do simples tecido de algodão à seda, e à gaze mais primorosamente ornamentada) com que a mulher indiana faz, rapidamente, uma elegante saia, sem costura nem qualquer espécie de prendedores, ajustando-o ao corpo, pregueando-o, fixando-o ao cós da anágua, deixando uma ponta solta, como echarpe, que pode cobrir a cabeça ou envolver ombros e busto, por cima da blusa.

O vestuário tradicional dos homens é aquele que Gandhi tornou conhecido no Ocidente: um sistema de panos brancos e flutuantes, formando calções amplos e o manto para as costas. Nem todos os homens se vestem assim, nem em todas as circunstâncias, mas os que sabem trazer esse tipo de indumentária imprimem à paisagem indiana uma nota de inesquecível autenticidade. Sandálias recortadas de variados modos completam esse guarda-roupa. E só de olhar para as roupas de qualquer pessoa, para esses tecidos tão sensíveis que se franzem à menor brisa, pode-se ver se há calmaria ou se algum vento se esboça.

Como os indianos são normalmente abstêmios, mesmo em ocasiões de festa as bebidas, de suco de frutas, são verdadeiramente refrescantes. E as mais belas recepções são, sem dúvida, ao ar livre, nos jardins, entre as árvores, às vezes com tendas graciosas armadas, para facilitarem o serviço. Quando o jardim é o do palácio presidencial, todo recortado de canteiros entremeados d'água, com repuxos inúmeros, e todo bordado de flores como um tapete, e quando a festa é uma data nacional, não há salão que se possa igualar a esse ambiente de flores, águas irisadas, bebidas perfumosas e coloridas, e o fulgor das roupas orientais, de tons intensos e límpidos.

À noite, dorme-se nos terraços, nos jardins, nas varandas, na rua. Uns dormem pelo chão, em esteiras, outros, nessas camas de vento (na verdade, de vento...) sem colchão, apenas com um trançado de cadarços em lugar do estrado. Os estrangeiros pensam que se dorme na rua só por pobreza, mas não é bem verdade. Há quem transporte sua cama para o lado de fora da casa a fim de aproveitar a fresca da noite para o repouso. E pergunto-me se haverá muitos lugares, hoje, no mundo, em que um mortal possa dormir tranquilo ao ar livre, sem que outro mortal lhe venha tirar pelo menos o lençol ou o travesseiro.

Chez Sophie

Por mim, não conheço da Turquia mais que os seus poetas de outrora e de hoje, um embaixador e um jovem pintor. Mas no Brasil nós temos o "ponto turco" e a "cabeça de turco" – e há turcos nos nossos autos populares tradicionais e tais coisas ocorreram, no passado, entre portugueses e turcos que todos têm a tendência de chamar turcos aos árabes, sírios e libaneses que transitam pela terra brasileira.

Vim comer a este restaurante turco sem prevenção nem predileção. Ninguém sabia quem eu era, nem quais fossem meus gostos pessoais. E acontece que, em plena moda de casas sujas, esta casa estava muito limpa; e, em pleno tempo de berros e desvairos, nesta casa falava-se em voz baixa.

Ninguém imagine que se trate de um palácio oriental, frequentado por sultões... Não, é uma pequena sala branca e verde, sem mais nada além das mesas e das cadeiras. Mesas, cadeiras, limpeza e cortesia.

A graça, para um brasileiro, está nos nomes dos pratos que figuram na lista. Oh, arrevesados nomes, qual de vós escolherei? Vai ser este. E aponta-se. Pois aparece uma tranquila berinjela recheada, exatamente como as que todos os dias me prepara no Rio de Janeiro a minha cozinheira baiana...

Crônicas de viagem 2 ✦ 127

Mas aqui os companheiros apontam outras coisas, – e ali está o meu querido arroz, branco e solto, e o nosso guisado de carne com legumes... E agora aparece a nossa boa salada mista, com azeitonas que espreitam por entre tomates, ovos, cebolas, feijões e pimentões com seus luzentes olhos escuros...

Não há nada a fazer: tudo isso que temos nos pratos, com seus complicados nomes turcos, é brasileiríssimo, familiar, íntimo, tradicional, legítimo.

Até o *raki* quer ser parecido com a nossa cachaça. Mas aí explicam que é melhor deitar-lhe um pouquinho d'água: e eis que a cachacinha vira anisete, elixir paregórico, e temos que perguntar: "Existe, porventura, alguma coisa mais brasileira?"

Os doces é que nos são menos familiares: muito açúcar, muita manteiga, muita amêndoa, em combinações especiais, – como esses parentes que de súbito nos são apresentados, e nos quais nos esforçamos por descobrir alguma semelhança...

E agora o café. Oh, este belo café de Chez Sophie, que traz o Brasil inteiro numa pequena xícara!... A diferença é que o pó vem pousado no fundo e, logo que se acaba de beber, emborcando-se a xícara no pires, pode-se ler a sorte no desenho da borra, se houver ao lado algum entendido...

Havia: havia um jovem pintor abstrativista, cuja interpretação foi confirmada pelo copeiro e pelo dono da casa, numa grande cordialidade, sem lanças nem cimitarras, que agradaria a Cristo e a Maomé.

Uma escolinha

Acabei por encontrar nestes matos uma escolinha. Em redor, estendia-se a inútil vastidão maravilhosa da terra, subia para o céu, pelas encostas floridas, – corria para longe, acompanhando o transparente andar das águas. A escolinha, ali parada, como uma menina perdida no campo. Chalé cor-de-rosa, com janelas verdes, de vidros rachados. O mastro verde mui dignamente inclinado entre as janelas fechadas. Grande ausência, em redor. E muito capim.

O homem disse-me que a escola era paga. Que as crianças passavam ali o ano inteiro quebrando a cabeça, mas não aprendiam nada. E que ele mesmo, que era um ignorante, tinha ensinado, uma vez, uma conta a uma professora. As coisas que se dizem!

A estrada seguia deliciosamente, contornando morros, e, do outro lado, avistava-se uma grande construção. Mais adiante, havia terras cultivadas – milho, tomate, batata. E, com aquele céu, aqueles barrancos e aquela plantação, o dia era um imenso esmalte vermelho, verde e azul.

Fiquei pensando na escolinha pelo lado de dentro. Um quadro-negro, mais ou menos cinzento. Uma cadeira inconfortável, uma pobre mesa, e alguns bancos, velhos e maltratados. Haveria pedaços de giz esquecidos. Esse cheiro peculiar às coisas escolares, tocadas por muitas mãos, e guardadas em algum recanto úmido e escuro. Imaginei a escola funcionando. Os caboclinhos desconfiados, esses caboclinhos que, quando se lhes acena de passagem um adeus de simpatia, logo se escondem atrás das árvores, como animais esquivos.

Imaginei, pois, os caboclinhos de tabuada na mão, tendo de cantar: uma vez um, uma vez dois... e a carta do ABC já sem capa e de beiras sujas, onde vão aprendendo as formas e combinações das letras, como num caleidoscópio em preto e branco.

Ouvi a régua da professora batendo na mesa: pá, pá, pá... Que barulhão, na salinha acanhada, com uma caiação esfolada aqui e ali, o lugar da goteira, num canto, e um raio de sol fazendo brilhar a tinta encarnada. A terrível tinta.

E os caboclinhos mal penteados, com o narizinho escorrendo, frieiras nos pés, dente furado, lenço no queixo, perebas nos joelhos, um tamanquinho caído embaixo da carteira, esforçando-se por desenhar num farrapinho de papel letras maiúsculas e minúsculas, com o lápis agarrado nas unhas pretas. Tudo de barriguinha vazia. Porque fica vazia a barriga de uma criança com uma canequinha de café matinal e um pão mirrado, seco e insípido.

Fiz então uma sobreposição de imagens. Apareceu a professora limpa, simples, compreensiva, e abriu aquelas portas e janelas, por onde o sol todo se precipitou. E com o sol chegaram os caboclinhos sorrindo, com o cabelo aparado, e a carinha gorda e bem lavada. E ela examinava-os um por um: cabeça, olhos, nariz, dentes, pescoço, unhas, roupa. E ia lavar as mãozinhas do Aristóteles, que tinha brincado com barro, no caminho. Cortava um pedaço da unha de Eurípides, e amarrava melhor a fita da trança de Semíramis.

E agora iam todos para a horta, ver o tamanho da rama das cenouras, a altura dos pés de couve, o brilho das berinjelas, a frescura das alfaces cheias de orvalho.

Depois, seguiam para o lado do galinheiro, onde os pintinhos se distraíam com as areias do chão, descobriam coisas que só eles veem, ou disputavam um lugar na corcunda fofa da galinha gorda, paciente e feliz.

Em seguida, inclinavam a cabeça para as flores: miravam a seda fina das papoulas, viam desenrolar-se o botão de rosa, brincavam com as sempre-vivas rumorosas e as surpreendentes cravinas, vestidas de chita crespa. Sorriam para as cores e para os perfumes, encantados com o jardim que crescera pelo trabalho de suas pequenas mãos. Depois, iam visitar as abelhas, que tinham visto ocupadas entre as flores. Aristóteles tinha o cestinho para recolher os ovos; Semíramis trazia o regador, ativa e contente.

Newton, Alcibíades, José de Arimateia estavam amarrando um tutor numa planta. Cleópatra e Homero consertavam a trepadeira que o vento da noite tinha desprendido.

E a professora andava por ali, prestimosa e sorridente, ensinando às crianças o manejo dos instrumentos agrícolas, contando histórias de hortaliças e frutas, falando da chuva e do bom tempo, das abelhas, das lagartas, dos sapos e das minhocas.

Depois, vi toda a escola ocupada em lavar alfaces e limpar cenouras, em acender o fogo e cortar tomates para o almoço.

Como era branca a toalha da mesa! Como reluziam os pratos e os talheres!

E a professora ali estava, falando de comida e saúde, explicando o fogo e a água, a pressão, o movimento dos navios e dos trens.

Semíramis botara a mesa, e Cibele, agora, cortava o pão. A professora dizia para Aristóteles: "V. devia chamar-se João; o Eurípides devia chamar-se Manuel; a Antígona devia chamar-se Maria... Todos devíamos ser mais simples..."

E a carta do ABC vinha depois, para ensinar a pôr no papel os nomes das coisas queridas: a água, o sol, a terra, o pão, a fruta, a flor...

Deixei todas essas imagens como um voto sobre a escolinha cor-de-rosa, triste, vazia, nua, que na verdade apenas encontrei porque uma tabuleta no caminho avisava os motoristas: "Devagar, escola!"

Uma remota aldeia

Escurece muito cedo e faz tanto frio que os galos, equivocados, começam a cantar. Talvez também eu gostasse de não dar atenção ao relógio e, insinuando-me entre os cobertores, fechasse os olhos e por dentro dos olhos pudesse fugir.

A escuridão seria completa, na velha casa da aldeia. Na peça contígua, o velho piano de cauda se alastraria, imenso, com a sombra vaporosa de mãos já inexistentes: seu teclado não prometeria nada mais, além de vagas saudades, pois uma parte já está muda, e a outra deve andar completamente desafinada. A mesa estaria pronta, para a manhã seguinte, e ostentando no centro uma vasta cesta de frutas. Na prateleira do aparador, haveria uma linha de compotas feitas em casa. De manhã tudo isso se veria melhor, junto ao pão dourado e ao queijo fresco, ao lento fumegar das xícaras de chá.

Os frios lençóis de linho custam um pouco a aquecer; mas cheiram a maçã e a malva. E todo o quarto se perfuma de um aroma de campo, de ervas que ainda parecem vivas e felizes ao sol. Não se ouve nada, pois as paredes são extremamente grossas. Imagina-se cada lugar da casa; cada lance de escada, de tão altos degraus; os cadeirões de vime onde os mais velhos conversam; a cozinha, de tais dimensões e com tais utensílios que é como se ainda estivéssemos na Idade Média...

Lá embaixo passa o rio: amanhã veremos, à sua margem, os homens que talham barcos em clara madeira, elevando em redor um cheirinho amargo de floresta abatida. Lá para cima vive uma velhinha que fornece o azeite do seu olival. Do lado direito, subirá pelas pedras outra velhinha com o peixe acabado de apanhar no rio. Do lado esquerdo, descerá o pastorzinho com seus queijos de cabra num cestinho de palha. Toda essa gente estará falando de manhãzinha com o pessoal da casa: da boca de cada um sairá o bafo branco que desenhará suas vozes no ar gelado da manhã. Falarão de neve, de reumatismo, darão notícias de toda a gente dos arredores. Mas suas vozes serão alegres, amáveis, mesmo comentando pequenos casos tristes.

Um sol da cor da lua pousará nas uvas da latada, escuras e veludosas. Tudo estará orvalhado, recendente, e o cãozinho sacudirá as orelhas, mostrando os dentes brancos como os homens quando sorriem.

Amanhã de manhã, quando se abrir a janela, alguém estará cantando uma velha cantiga, como se nunca a tivesse deixado de cantar, de dia e de noite, por muitos séculos.

E nessa aldeia remota pensarei em ti, minha cidade querida, cidade que um dia foste a mais bela do mundo, e que mudaste tanto que, de vez em quando, é preciso fugir de ti, para não morrer de compaixão.

Viagem

Ri-te à vontade, Maria, mas é deste trenzinho que eu gosto. Olha só: verde e amarelo, pintado de novo. O primeiro trem verdadeiramente limpo que vejo no Brasil. Deve ter sido mandado fazer para mim, deve. "Homenagem das companhias de estrada de ferro àquela que, no tempo dos aviões, continua a amar os trens." Imagina se me dissessem isto, na primeira estação, e, em seguida a filarmônica local tocasse uma valsa!

Ai de mim, que vivo entre símbolos: andei a semana inteira querendo comprar pipocas; e no momento em que o trem parte é que o homem das pipocas aparece! Adeus, adeus! Agora é tarde. Meus desejos estão mortos! Não vês, o pipoqueiro, os meus desejos estraçalhados pelas rodas da locomotiva?

Da locomotiva? Estou certa, Maria, de que isto é uma locomotiva? Estou sim. Lá vai ela, toda reluzente. A paisagem começa a mover-se para trás. Não me venhas perturbar com a dúvida amarga de que a paisagem é que esteja fugindo sozinha. Não, o trem já se pôs em marcha. Queres que ele ande como uma bicicleta? Não, cada um anda como pode. Não venhas ofender o meu trenzinho. Lá vai ele. Lá me vou para a antiga Comarca do Rio das Mortes. Isto, sim, que eram nomes, os de antigamente. Nem isso nos deixam: os nomes das vilas, das ruas, das lojas, das pessoas!

Mas olha ali, Maria, as árvores brancas, a cascata caindo, os muros de pedra caminhando quilômetros. Nada disto te diz nada? O meu vizinho está contando que o irmão do João Antônio deixou mais de mil alqueires. É tudo aquilo que nós estamos vendo. Mil alqueires de atrapalhação: dívidas, brigas de parentes, um horror. E as flores abertas sem saberem de nada disso. E o milho crescendo. E o rio barrento. Mil alqueires que ninguém sabe de quem são. A quem pertenceis, ó mil alqueires? Nem nada. A terra não tem dono. É pura ilusão.

Tu sabes o que é uma trovoada no meio do campo, Maria? Os romances antigos estão cheios dessas descrições. Mas quem é que vai ler os romances antigos? Estás vendo aquela nuvem negra? Olha como vai crescendo, como vai transformando todo o céu. Daqui a pouco, não avistaremos mais os girassóis. Não avistaremos mais nada do céu a não ser o estremecimento dos relâmpagos. E o raio saltará como um cavalo de fogo de colina em colina.

E o trem vai comendo a tarde. Comendo, sim, Maria, embora devagarinho. Isto é um trem delicado, não é um monstro. Querias que engolisse os horizontes, de repente?

Olha como anoitece. Anoitece e chove. E a água escorre pela vidraça, e vem dos campos um cheiro tão bom de plantas molhadas! Flores humildes, cujo nome nunca saberemos, só manifestam a sua presença invisível por esta exalação delicada que, sob a chuva, lembra a primavera e, na sombra da noite, parece o princípio do dia.

Corri a vidraça, Maria, porque a chuva parou. Isto é a noite primitiva: sem estrelas, sem lâmpadas, sozinha, nascida em pleno campo, desnuda e sem socorro. Os grilos e os sapos estremecem muito longe. Mas de repente o chão rebrilha, desabrocha em jasmins de prata. Não são as fagulhas do trem, Maria, não são flores, não são estrelas: são os vaga-lumes dançando, por léguas e léguas, os límpidos vaga-lumes como diamantes vivos, saindo da terra, anunciando aos viajantes que isto é a terra das minas, que isto são as Minas Gerais.

Não, Maria, só os que gostam destes trenzinhos podem ver os lírios e os vaga-lumes. E ouves agora o córrego soando? Longas águas atravessando a noite imensa, atravessando o sono. Dormir assim, como as pedras serenas, com a pequena espuma do sonho tecendo o seu arabesco. Isto, sim, que é viver, Maria.

Os museus de Paris

Pois acontece que os museus de Paris são esta preciosidade que estamos vendo. E já não digo especificamente os museus de pintura ou de esculturas: mas estes castelos, mas estas antigas vivendas que conservam, para a admiração do visitante de hoje, o bom gosto, o sentimento de fausto, de grandeza, de entusiasmo pelas belas coisas deste mundo que outrora animaram aqueles para quem o mundo, afinal, acabaria como um acontecimento bem cruel...

Então, trazida pela justa publicidade das agências de turismo, e, algumas vezes, arrastada por sugestões históricas, pelo interesse do estudo e da compreensão, uma turba numerosa e respeitosa invade os museus, com os seus casacos e as suas bengalas, com pluminhas nos chapéus e crianças pela mão. Por muitos que sejam, vão num grande silêncio, com grandes olhos preparados para o ato solene de "ver" até o último cêntimo da entrada, e todos os demais cêntimos da propina. (Não sei bem por que, mas dá-me vergonha empregar aqui a palavra gorjeta...)

Não sei como reagem as pessoas sensíveis, nesta aglomeração – pois, quanto a mim, deixo-me ficar para trás, espero que a onda passe, que a voz do cicerone não pese mais nos meus ouvidos. Bem sei que não sou capaz de ver nada do que me mostrem, nem de entender nada do que me expliquem. Tudo quanto aprendi até hoje – se é que tenho aprendido – representa uma silenciosa conversa entre os meus olhos e os vários assuntos que se colocam diante deles, ou diante dos quais eles se colocam. Nessa atmosfera de confidência, tudo me parece penetrável e inteligível. Mais tarde, em silêncio maior, a conversa continua, e é simplesmente um profundo monólogo. O que resulta de tudo isso é, para mim, a aprendizagem.

De modo que o "cicerone", por mais que grite, não me atinge... Aliás, esses guias, embora circulando entre coisas de arte, e delas se ocupando com tão ofegante fervor, têm sua organização comercial muito bem estabelecida, e defendem os seus clientes com entusiástico heroísmo. Parece que foi, outro dia, em Versailles, que a mim, a mais distraída, a mais aérea das criaturas, e a menos interessada (e, para dizer a verdade, a menos confiante...) na sapiência dos guias, um deles disse, julgando que eu estivesse fazendo mercado negro com as suas altas lições: "Faça o favor de chegar um pouquinho para lá, que esta explicação é só aqui para os meus fregueses..." (Oh, "*Douce* France", se nós, os brasileiros, não te amássemos tanto, como ficaríamos decepcionados com o novo estilo dos teus guias...)

Em todo caso, como eu já estava a uma distância de uns mil quilômetros, não me custava nada afastar-me um metro mais. E, assim, os nossos bons vizinhos norte-americanos puderam receber, em inglês, francês e mesmo num certo espanhol, a magistral explicação de cada parede, de cada porta, do jardim que se via pela vidraça, dos relógios e das cadeiras espalhadas por ali... Alunos aplicados, fizeram todos os movimentos necessários para isso: cabeça para cá, cabeça para lá, meia-volta à direita – e agora, atenção, para a sala seguinte! Aí, os alunos corriam por dentro de si, pelas planícies do tempo, no encalço de um rei ou de um duque. Isso já era mais difícil: não se agarra um duque, na História (já não falo dos reis...), como quem apanha uma lebre ou uma bola de futebol...

Mas o mais notável dos guias foi o que encontrei mostrando a Vênus de Milo a um grupo de pessoas crédulas, todas de cabeças inclinada para as costas, devorando com os olhos cada pedaço da estátua. Depois da devida descrição, o homem apontou para o soberbo torso, esticou os lábios como quem diz "A mim não me enganam", e declarou aos seus clientes: "Perfeito demais: isto não existe!" De modo que as mulheres feias ficaram todas contentes, e as bonitas saíram convencidas de que aquilo devia ser um desgraçado casado com um monstro...

São Paulo, *O Estado de S. Paulo*, 1º de fevereiro de 1953

Voz de poeta

Aquela rede de luzes, lá em baixo, é a Bélgica.

Desviamos o olhar da janela, para recebermos das suaves mãos da aeromoça a bandeja do jantar.

(Fazia tanto frio no aeroporto! O guarda cismou que a valise devia ser aberta). "Brasileira?" – contemplou-me com desconfiança e desprezo. Bateu com o lápis no ar (na sua inteligência agudíssima...) – coisa que deve ter aprendido com os detetives das fitas norte-americanas. Declarou-me que eu tinha ar de conduzir barras de ouro – (tanto as aparências enganam, e tão atrasado andava em História, pensando que a descoberta das minas tivesse sido o ano passado...). Enfim, são essas as coisas antipáticas das viagens.

Aquela rede de luzes, lá em baixo, é a Bélgica.

Mas, em lugar de ouro, o guarda encontrou algodão, esparadrapo, mercurocromo – como se examinasse uma valise de enfermeira. Nem chegou a ver que havia cremes, pós de arroz, coisas mais agradáveis e femininas. Amarrou a cara, aborrecido com a desilusão. Os outros viajantes, que já se inclinavam – cobiça ou mera curiosidade? – para o famoso ouro que devia sair dali, também perderam o entusiasmo, e tomaram um ar de gente respeitável e educada.

Então, a minha velha melancolia passeou por aquela cena um pouco idiota e, se a melancolia risse, ilustraria o conceito de quem sempre se ri melhor quem ri por último. Enfim, são essas as coisas simpáticas da vida.

Pois aquela rede de luzes, lá em baixo, é a Bélgica.

A esta hora as famílias devem estar sentadas em redor das mesas de jantar. O ruído deste avião, entre o tinir das louças e o murmúrio das conversas será coisa sem importância, ruído de todos os dias, no vaivém das rotas aéreas.

No entanto, nesta alta solidão, que não perturba a memória, pensamos num ponto desse mapa luminoso, onde deve estar o poeta que disse:

L'homme regarde um peu sa vie, et parle, et meurt.

Um poeta delicado e difícil, com muitos ritmos, capaz de inventar mil subterfúgios literários para salvar sua alma da curiosidade por vezes demasiado imediata e direta do leitor.

Sorcière, si tu me touches
Du bout de tes doigts bleutés,
Voici les dieux ameutés
Dans les espaces farouches!

Não serão estes os espaços bravios, nem vejo por enquanto os deuses amotinados, e é um prazer mandar daqui pensamentos cordiais ao poeta distraído que a esta hora estará conversando, escrevendo, pensando coisas tão diferentes.

Vai ficando para trás a rede luminosa da Bélgica. A voz de Melot du Dy não sabe que está sendo ouvida, a esta hora, neste céu, tão comovidamente...

Sa voix parlait dans la nuit.
Vague et vive comme une aile...

Exatamente assim, a voz do poeta acompanha este avião, e o voo da máquina não prejudica o voo do sonho.

São Paulo, *O Estado de S. Paulo*, 22 de fevereiro de 1953

Desde o Schiphol

Rodaram as luzes do Schiphol, para que o avião descesse. O chão do aeroporto era suave, quase fofo, sob o peso da grande nave. No ar puro, brilhava uma estrela.

Tudo parecia conhecido, esperado, afetuoso – por mais que os povos latinos descreiam das doçuras nórdicas. E desde o Schiphol comecei a amar a Holanda.

O primeiro grande cartaz da Holanda é justamente o seu aeroporto. Pensar que, ainda outro dia, tudo aquilo esteve em ruínas – e agora funciona com disciplina exemplar, num ambiente fácil, eficiente, de elegância e de cortesia.

Tenho visto serviços modelares, mas severos, duros, brutais. Tenho visto serviços cheios de simpatia humana, porém, desorganizados e incorretos. O Schiphol preparava-me a surpresa de um excelente serviço realizado com a discreta urbanidade que o viajante fatigado recebe com particular encantamento – o que tem especial valor nas relações internacionais. Por mais que haja guerras holandesas na antiga História do Brasil, pisei na Holanda como em terra amiga, e até com esse gosto saudável que vem depois de esquecimentos e compreensões.

Desde o Schiphol comecei a amar a Holanda, antes de ver os canais, de conhecer as flores, de sentir a fisionomia das casas, de poder admirar seu povo.

Era uma noite qualquer, fria, clara, serena, com as ruas silenciosas, com luzes discretas atrás de suaves cortinas arregaçadas. Luzes que sugeriam a intimidade dos interiores da pintura clássica neerlandesa.

Não se fala do que se ama com inteira isenção. Nem todos amam as mesmas coisas, nem do mesmo modo. Nem todos poderão sentir este sabor de chegar à Holanda como quem entra num domínio familiar. Mas assim me aconteceu, de maneira imprevista e inexplicável.

Talvez pelo seu tamanho, por sua disposição, pelas lembranças que o tempo ali desprende – Spinoza, Descartes, Van Gogh... – e pelos temas dos quadros, que logo ali se evocam, – uma carta que se lê, cabazes, rocas de fiar, jarras de leite, cestas de pão... – a Holanda tem um ar caseiro, natural; simples, sem banalidades; e sério, sem dureza.

Que um amigo sorria, dizendo-me: "Aqui morou, certa vez, um cavalheiro chamado Rembrandt..." – e a noite palpita sob uma nova emoção, doce e terna: quantos séculos pode vencer, infatigável, o carinho do nosso coração?

E quando, no hotel, o cantor do bar vai cantando antigas melodias, acompanhado pelos clientes, a noite aumenta de doçura: estamos todos tão próximos, apesar dos meridianos e dos idiomas! E, no alto céu, a mesma estrela brilha para todos nós.

São Paulo, *O Estado de S. Paulo*, 8 de março de 1953

Amor correspondido

O brilho das águas apagou-se, e perdeu-se a forma dos barcos. A parede fronteira foi sendo carregada para longe. O chão desceu gradativamente, em suave abismo. Os alamos desmancharam-se. O céu perdeu seus limites.

Cada minuto teve sua importância na imperceptível transformação da noite. E a cidade que estive amando com pensamento e ternura desapareceu dos meus olhos, com todos os seus pormenores apagados.

Ficou esta névoa, esta cinza, este uniforme panorama de areia. E com igual espontaneidade e desinteresse, quando é que foste amada, Amesterdão?

Com esquadros imaginários, com lápis imaginários, pus-me a traçar vagos desenhos nesse fino papel imenso, da noite desdobrada: pontes sobre os séculos, sobre os oceanos, entre as ideias... Meus esquemas afogavam-se na impalpável matéria da noite. Certamente, se dormisse, não teria sonho mais fluido, mais fugitivo, mais deslembrado.

Pela madrugada, a cidade começou a voltar: delinearam-se as ruas, lá embaixo, muito longe... Ouvi ou imaginei campainhas de invisíveis cavalos, acolchoadas em névoa?

Regressaram os barcos, e sua sombra descia pela água dos canais, pouco a pouco cintilantes.

As paredes das casas foram reconstituídas, com suas janelas, e as janelas com suas cortinas arregaçadas sobre um jarro de flores.

Vassouras, espanadores, os mil utensílios de limpeza que são uma das glórias sadias da Holanda começaram a espalhar as nuvens, a secar o orvalho, a bater os tapetes da Aurora, a brunir a claridade do sol. Aéreas mãos se apressavam, nesse trabalho diáfano; e meus olhos assistiam àquele desenrolar de cores, e àquela construção festiva da pura manhã de domingo.

Quando tudo estava pronto, uma janela abriu-se, diante de mim, e duas raparigas, de saia de lã e touca branca, sentaram-se de perfil, simetricamente, com os planos, a composição, a placidez de um quadro antigo.

E eu te agradecia, Amesterdão, essa espécie de amor correspondido: a alegria trazida aos meus olhos, depois da vazia contemplação da noite.

Foi quando a música se elevou, a música da eterna infância... Porque o realejo parara sob a minha janela, e começara a cantar e chorar sua incansável melodia...

Um realejo grande como um altar-mor. Um realejo barroco, dourado, com flores, colunas; todas as curvas delirantes do seu estilo.

E de todas as janelas começou a chover, sobre essa música, um turbilhão de moedinhas de prata, que brilhavam ao sol como escamas ao vento.

São Paulo, *O Estado de S. Paulo*, 15 de março de 1953

Luz da Holanda

Quem tomou nas mãos esta luz, sabe por que a Holanda tem produzido tantos pintores. É uma luz tão preciosa que deixa em todas as coisas um nimbo de ouro. Tão leve, tão delicada, tão doce que os olhos se abrem para ela com delícia, que os olhos ficam felizes de ver.

Pousa nos edifícios, e destaca-se cada ruga de tijolo, cada arabesco na madeira, cada cintilação de vidro, cada bordado ou prega de cortina.

Pousa na onda dos canais, – e desce-se por aquelas escadas de vidro que a água inventa – e descobrem-se mil coisas submersas, flutuantes, diáfanas, até o nascimento da terra em cada ponto brilhante de remota sílica.

É uma luz esvoaçante, que se balança nas árvores, que treme nas folhas verdes e amarelas, que se desprende e joga-se para longe, e vai-se abraçar ao peito dos robustos, perseverantes moinhos.

Uma luz que desliza pelas ruas, como uma criança toda de branco que de repente se levantasse e mostrasse as palmas das mãos, os joelhos, as roupas, todo o corpo imaculado: porque as ruas da Holanda são lisas, limpas, nítidas como as antigas toalhas adamascadas, nas solenes mesas de outrora.

Essa luz é que mostra agora as diferentes formas e a policromia das flores amontoadas nos barcos, ou nas pequenas barracas, pelas esquinas.

É ela que se quebra em cintilações nas rodas célebres das mil bicicletas que de repente armam nas ruas de Amesterdão um bailado quase aéreo, com senhoras de chapéus de plumas, cavalheiros de livros em baixo do braço, namorados de mãos dadas, mulheres carregadas de embrulhos e cestas...

E a luz deliciosa passeia pelas dunas, vai muito longe, até onde as espumas do mar se aglomeram, indecisas, sem saberem se devem ser para sempre líquidas, ou se é melhor ficarem paradas na orla do litoral.

É uma sábia luz que se apraz em decompor os variados tons de ocre da cabeleira dos meninos e da folhagem de outono.

Luz bela que faz avultarem as fachadas seculares, que rodeia de glória os parques suntuosos, onde as árvores vestem sussurrantes ventos.

Luz que dá sua pincelada de ouro a rodelas e argolas dos arreios, e atravessa, fio por fio, o veludoso pelo dos poderosos cavalos da Frísia, e brinca na seda das suas pestanas e no manso cristal paciente dos seus olhos.

Luz da Holanda, nos campos cultivados: manchas verdes, róseas, amarelas... Nem o tijolo é compacto, nem o bronze é denso, ao toque dessa claridade. E a criatura humana funde seu contorno com a atmosfera, e a vida perde o seu peso, e paira.

São Paulo, *O Estado de S. Paulo*, 29 de março de 1953

Noite maternal

Portas largas. Tapetes maciços. Corredores amplos. Cômodas robustas. Em cima das cômodas, largos panos de renda. Em cima da renda, jarros enormes.

Por mais que pareça impossível, – uma atmosfera do século XVII. Por quê? Pelas proporções? Pelas perspectivas? Pela distribuição de luzes e sombras?

A dignidade das grandes casas, que não é como a das casas ricas. Uma qualidade autêntica em tudo, que torna belas até as coisas de mau gosto.

As tábuas do assoalho têm, às vezes, um rangido, sob os passos. Linguagem do tempo na arquitetura.

Janelas vastas, de sólidos vidros. Janelas duplas, que permitem várias combinações, segundo a temperatura.

Cortinas muito franzidas, prometendo muito agasalho.

Os tubos de calefação, intermináveis: parecem de órgão. E o calor que fabricam não é dúbio, inconstante, como tantas vezes sucede, – mas seguro, exato e com um registro que realmente funciona.

A brancura dos ladrilhos deslumbra. Todos os metais cromados cintilam. A ducha é uma catarata que inunda paredes, teto, chão, tapete, toalhas. Tão fria, que o sangue se assusta e retrai; tão quente que nubla vidros, louça, metais, espelhos...

Camas grandes, como para o sono de um mercador imponente, depois de formidáveis negócios nas Índias.

Amplos espaços para grandes capas, largos chapéus de plumas, roupas volumosas de seda e veludo, com suas pregas desmoronadas na noite.

Colchões macios, com muitos cobertores de papa formando camadas de calor e de brandura para fadigas de expedições.

E um profundo silêncio. Casa silenciosa. Rua silenciosa. Cidade silenciosa.

Como quem estivesse aconchegado a um coração maternal.

Se eu pudesse dormir, não haveria lugar mais propício, e com certeza opulentos sonhos, nesta primeira noite holandesa, sossegada e feliz.

Mas a paz da rua chama-me para a janela. Mas o reflexo dos canais e o vulto dos barcos e a tranquilidade das casas são mais repousantes que todos os sonos. E com tua estrela contemplo a noite, Amesterdão.

São Paulo, *O Estado de S. Paulo*, 26 de abril de 1953

Direção Leste

Na noite profunda, o aeroporto de Roma perde a existência, – é xilogravura e sonho: xilogravura, no recorte preto e branco de bagagens, funcionários, passageiros, passaportes, papéis, mesas, bandejas, copos e xícaras que vão e vêm, tudo nascendo e morrendo entre a chispa das lâmpadas e a imensa treva das altas horas: sonho, no som baço dos nomes lidos por voz estrangeira, no ritmo dos corpos fatigados, no bruxulear das pupilas entre ásperos agasalhos, sob a azulada fumaça dos cigarros que já se extinguem nos cinzeiros, porque a máquina roufenha e poliglota anuncia que é tempo de partir. Morrem no ar – tão frio e já despovoado! – as últimas palavras italianas. Seguem os passageiros em trânsito. Seguem os novos passageiros. Mas as religiosas espanholas custam a despedir-se, ricas de fé, ricas de abraços, afetuosas, enternecidas, já de mãos postas, a pedir a Deus que proteja as companheiras enviadas para tão longe, a esses lugares do Oriente que cada um imagina como pode, e tão poucos entendem, mesmo depois de os ver.

Em sonho caminhamos. Apenas em sonho lúcido, que recorda. Ninguém sabe de nós, a esta hora. Há delícia em pensar que ninguém sabe de nós. Aconteça o que acontecer, ninguém sofre por nós, neste momento. Envolve-nos a grande solidão da noite, e o anonimato dos viajantes comuns. Que sabemos dos outros que nos cercam.

A senhora francesa que, no restaurante, esteve sentada ao meu lado, pensou que eu era francesa também. Falou-me um pouco do que ia fazer no Oriente. Disse-me: "Deve ser uma coisa fantástica, a Índia!"

Mas era tudo como em sonho. Que lhe teremos respondido? E seriam realmente aquelas as suas palavras? É tão profunda a noite! E, mesmo em pleno dia, tantas vezes nos esquecemos do que dizemos, e acreditamos ouvir coisas que não nos dizem...

Não sei se a minha vizinha é americana; mas tem umas fabulosas sandálias douradas, como se estivéssemos não indo, apenas, para o Oriente, mas de lá voltando. Desapareceram agora debaixo do cobertor de bordo, lançando um curvo clarão, como um crescente afogado em grossa nuvem.

O vizinho também parou de fumar, e inclina a cadeira e cruza os braços, como quem está bem decidido a dormir.

As religiosas estão quietinhas nos seus lugares, como duas esculturas. Não é possível que tenham dormido tão repentinamente. Devem estar rezando, de olhos fechados; e qualquer vaga luz que passe ondeia logo em seus perfis, nítidos, pálidos e brunidos como marfim.

E assim vamos pela noite profunda, sobrevoando o mundo, sem nos animarmos a acender uma luz contra os companheiros adormecidos para estudarmos o mapa. Tornamos a ouvir a voz do professor que num longínquo passado repetiu para os alunos atentos apoiados às suas carteiras: "A Itália é uma bota que calça o Mediterrâneo".

Ao longo dessa bota vamos agora descendo. Lá embaixo, descansa Nápoles com seus barcos e suas canções. Não veremos, mais longe, os mármores da Grécia, na sua tranquila eternidade. Passamos, rápido, sobre as coisas vagarosas da Antiguidade. Quando o sol aparecer, estaremos cruzando como um pequeno pássaro o céu grandioso de Atenas. Nem o marinheiro Simbad teve uma aventura assim: arrebatado à noite do Ocidente, ver surgirem na aurora ilhas, praias, desertos, num entrelaçamento de rosas, corais, turquesas, com as Pirâmides e a Esfinge a despertarem no seu leito de areias e o sol do Cairo a arder nos alamares dourados dos policiais egípcios, de rutilantes uniformes vermelhos.

Quem pudesse acordar os companheiros, prostrados em suas cadeiras! Que sono pode valer esta névoa nacarada de onde começam a emergir terras e águas mediterrâneas?

Crônicas de viagem 2 ✦ 149

Mas ninguém desperta, por enquanto. A claridade matinal entra docemente pelas vidraças. Suaviza todos os contornos. Alonga-se como um véu brando e róseo sobre os rostos imóveis.

E esta luz torna tudo diferente. Sentimos agora que a Europa vai ficando longe. Que o Brasil já está quase do lado oposto. Que ninguém mais entenderá quem somos, nem de onde procedemos. E, nessa repentina mudança, apenas o que há de universal, em nós, se conserva intocável em seu equilíbrio, pois de tudo estamos despojados: de família, de amigos, de pátria, de língua, de repercussão. Enquanto os companheiros dormem, sob a primeira claridade do Oriente, entretenho-me com o pensamento de que, depois da morte, deve ser assim que os homens compareçam à presença de Deus.

Mais turística do que todas as Auroras, a Esfinge alvoroça os passageiros. Arranca-os ao torpor dos cobertores. A sandália dourada reluz de repente. Mesmo as religiosas viram o perfil para o outro lado. Todos querem descobrir, na página imensa do deserto, aquelas grandes letras maiúsculas. Avistá-las, apenas. Avistá-las, ao menos, – uma vez que não podemos ler tudo quanto escreveram os homens do passado, – embora, em muitos casos, talvez o tenham escrito pensando em nós.

Num instante, todo o avião desperta. Cada um volta aos seus hábitos. Aromas de águas de toucador misturam-se à fumaça dos primeiros cigarros. Na verdade, só agora nos vemos uns aos outros, com os nossos traços e cores naturais: no claro-escuro da noite, éramos todos como uns esquemas humanos, uns desenhos sucintos reunidos a certa hora em certo aeroporto.

Vemo-nos mais claramente, agora. Nisto que se pode ver. Nos nossos usos, nas nossas roupas, nos gestos do nosso corpo, nas feições do nosso rosto, na inflexão da nossa voz.

Todos se entusiasmam à ideia de que, dentro de pouco tempo, desceremos no Cairo, tanto é certo que o amor pelas viagens, para quase toda a gente, não está no viajar, mas no chegar. O voo noturno e solitário, o arrebatamento, a grandeza do desamparo entre o céu e a terra não causam sempre um fervoroso êxtase; mas a ideia de pousar de novo os pés no chão, de sentir próximas todas as coisas cotidianas: a árvore e a porta, a mesa, a cadeira, o degrau, isso faz desabrochar um sorriso ardente, nos lábios mal acordados.

Na loja do aeroporto todos se encantam com joias que repetem o escaravelho clássico, almofadas de couro trabalhado, pantufas, carteiras, tudo quanto se pode fazer para que o viajante apressado leve aos amigos uma visão das Pirâmides, da Esfinge, dos camelos, das palmeiras, do Nilo.

E, no restaurante, o chefe e seus ajudantes caminham para cá e para lá, – imaginando que servem chá, refrescos, torradas, com suas longas camisolas cingidas à cintura por uma faixa que varia de cor segundo a hierarquia do que a usa, e seus gorros de feltro que nem as crianças acham surpreendentes.

No entanto, tudo é irreal: os uniformes vermelhos com muitos alamares e rodelas douradas, os objetos turísticos, os homens do restaurante e o que estão imaginando servir... Tão irreal quanto nós todos que, para nos agarrarmos à realidade, começamos a escrever cartões-postais, a trocar dólares por libras, a misturar francês com inglês, a olhar para o céu que é denso e azul como uma pedra preciosa, para as areias que rangem sob os nossos pés, e a dizer como lázaros a saírem dos túmulos: "Que belo dia! Que céu maravilhoso! Que sol!..."

É um sol que resplandece sobre o azul como realmente uma joia faustosa. Um sol, cujos raios se desdobram como asas. Um sol que, de repente, nos faz compreender desenhos, amuletos, pedras gravadas, ídolos, inscrições, cânticos, ritos, sacerdotes, campos lavrados, Ísis, Horu Osíris, Morte, Ressurreição.

Rio de Janeiro, *Diário de Notícias*, 16 de agosto de 1953

Pelo Mahatma

A caminho do avião, por esta luminosa areia do Cairo, ao deixar para trás este mundo azul do Mediterrâneo, como é possível não pensar em Alexandre, se o seu próprio nome ainda ali está perpetuado no mapa?

A aeromoça, uma bela anglo-indiana, de vastos olhos, cheios de noite e de lua, serve aos passageiros caramelos, cardamomo, erva-doce... gosto do Ocidente e do Oriente, entrelaçado no céu.

Também Alexandre sonhara esse entrelaçamento na terra. Daqueles lados, por onde foi a Macedônia, seus pensamentos se dirigiram para os campos do Pendjab. É belo pensar que não tenha sido apenas marfins lavrados, jazidas de mármore, joias e sedas a atração oriental do discípulo de Aristóteles. Mas, sob tantos séculos caídos neste seio da terra, na dispersão destes velhos Estados, cujos limites a visão da altura desfaz, – como é difícil adivinhar, entre a certeza da versatilidade humana e a incerteza da verdade histórica, a alma deste impetuoso jovem, que um dia partiu com seus trinta mil soldados pela Pérsia adentro, e, sempre invencível, um dia se debruçou, afinal, na fronteira da Índia, pululante de deuses, sábios, ascetas, – e onde cada coisa e criatura é, num invólucro mágico, um enigma divino?

Os companheiros de viagem preparam-se para esta aventura aérea, tão breve, comparada com a de Alexandre! Bem se vê que deixamos o Ocidente: as caixas de almoço trazem a indicação do conteúdo, conforme seja vegetariano ou não. Há uma grande paz a bordo. Apenas a moça das sandálias douradas custa a encontrar posição confortável, custa a encontrar uma ondulação agradável para o penteado, e aroma suficiente na água-de-colônia das suas infindáveis abluções.

A sombra de Alexandre continua lá embaixo, por essas areias que sobrevoamos. É o herói do Ocidente investindo para o Oriente, quem sabe com que sonho juvenil de unificação humana! A fraternidade dos deuses e dos homens; a arte e a ciência abraçadas e compreendidas: os dois hemisférios integrados numa só família, como a cabeça bifronte de Shiva e Vishnu!

Ergue-se em volta o cálido cheiro da comida indiana. Mãos orientais extremamente finas, de desenho, e extremamente leves, no gesto, catam na caixa de papelão, daqui, dali, frituras, grãos, como pássaros bicando num jardim. Depois, tudo se imobiliza: gorros, sáris, sandálias douradas. O rosto das religiosas, róseo e redondo, tem a graça ingênua de uma estampa popular.

E não se pode deixar de pensar, nesta altura, que, para aqueles lados, onde aqui no mapa se lê "Palestina", onde este desenho azul diz "mar Morto", entre todos estes velhos nomes bíblicos, andou um vulto que pregava a fraternidade dos homens, que ensinava às criaturas o grave bem de terem alma.

Olham lá para baixo as duas religiosas. Tudo quanto se avista é uma bruma dourada. Como um oceano de sol, com tênues franjas esverdeadas, azuladas, em lugares que não identificamos.

Passaremos assim, alto, longe, como em sonho, sobre os lugares de Alexandre, de Jesus, de Maomé. Em poucas horas cortaremos esses largos espaços de tão formidáveis ecos. Nem a força das armas nem a dos sentimentos conseguiu produzir ainda uma total união dos homens. Que instinto adverso nos separa? Que gênio contraditório impede o amor entre as criaturas? Por que, sempre que duas mãos se apertam, cai uma espada que as corta?

Depois, com a voracidade dos meridianos, a bruma dourada colore-se de outros matizes. Não é dos nomes do mapa que sobem estas sugestões de pedras preciosas – Síria, Bagdá, golfo Pérsico... – não; é a cor do dia, visto de muito longe, que desdobra campos de pérolas, turquesas, diluídos rubis, tudo muito evaporado e frágil, com uns intervalos azuis, que parecem água, e devem ser miragem, pois tudo isto é deserto, deserto, deserto, léguas e léguas, sob as pobres vidas que planam nesta máquina...

Mais tarde, a luz do céu forma uns estranhos contrastes na solidão das areias. Deve haver muitas dunas, revoltas por uns poderosos ventos. O chão parece recoberto de inscrições. De umas inscrições tão bem recortadas, com seus imensos caracteres, paralelos, que é como se voássemos sobre uma máquina escrita em hebraico.

Encontraremos a tarde, encontraremos a noite, e estaremos sempre voando. Veremos desenhos d'água. A água verdadeira e perigosa do golfo de Omã. E saberemos que chegamos ao mar Arábico, por onde a Índia estende o seu longo perfil.

É a última noite do ano, – e a moça das sandálias douradas anuncia ao seu conhecido: "Dançaremos em Bombaim!"

Já deixamos para trás o sol enterrado no deserto; já descobrimos as estrelas, e a lua veio ao nosso encontro. Tão bela era a solidão, sobre tantas lembranças antigas! E já se fala em chegar, descer, tocar outra vez a terra, voltar ao convívio humano... "Dançaremos em Bombaim!" Alguns dançarão, esta noite, que é a última do ano. As religiosas agradecerão a Deus terem chegado sãs e salvas, para a sua missão. Alguns esperam apenas mudar de avião, para irem mais longe, para a costa oriental. Minha amiga francesa que, durante a viagem, tantas vezes se deslumbrou com as cores, as distâncias, as visões do passado, deseja, acima de tudo, entender o sentimento místico da Índia. Haverá quem venha atraído por estas riquezas orientais – estes metais, estas pedras – que ainda são mistério e prestígio para os que contemplam a Índia de longe. Sedas de turbantes, fumaças de *hukas*, palácios de marajás, ouro de sáris, incenso e especiarias, cobras encantadas, danças hieráticas, faquires deitados em pontas de pregos, ídolos faustosos, sacrifícios, astrólogos, fórmulas mágicas, tudo isso faz da Índia, à distância, um país diferente, onde a vida é uma espécie de levitação. Alguns virão por essa curiosidade.

A aeromoça põe-se a servir um jantar quase festivo: fim do ano, fim da viagem. Parece que já se avista alguma luz na costa. E de novo a alegria de voltar à terra anima os companheiros que tão sossegados sobrevoaram aquelas pedras, aqueles mares, aquelas areias...

Os santos já me disseram tudo; os marajás não me dizem mais nada; as sedas dos turbantes e a fumaça das *hukas* desenrolam-se, para mim, com a mesma lassidão efêmera. As danças contaram-me seus hieróglifos; os ídolos, suas histórias; os faquires, sua disciplina. Tudo isso vem comigo, ajustado à minha alma, como outras muitas heranças. Tudo isso já vem comigo; nada disso venho procurar aqui.

Houve, porém, um homem, um homem que o Ocidente conheceu de fotografia, e quase achou ridículo, porque calçava apenas umas sandálias, enrolava o corpo apenas num pano branco, e falava da ressurreição do seu povo, e de uma independência feliz, sem armas e sem ódio. Esse homem chamava-se Gandhi. E sem ódio e sem armas tornou seu povo independente. E quando o preparava para o seu destino, como um pai, a conversar com seus filhos, dispararam sobre ele um revólver, e tiraram-lhe a vida.

O comandante vem brindar com os passageiros, porque o avião começa a descer sobre Bombaim. E os passageiros levantam-se, e, de mãos dadas, cantam as canções que sabem, cada um na sua língua, e todos trocam votos de felicidade, nesta meia-noite de 31 de dezembro.

Por muitos motivos se pode vir à Índia. Eu venho por Gandhi, o Mahatma.

Rio de Janeiro, *Diário de Notícias*, 3 de agosto de 1953

Luz e som de Bombaim

Depois de tantas horas de voo sobre mares e desertos, o chão de Bombaim, confundido na noite, é território imaginário, por onde os passos dos fatigados aeronautas erram sem firmeza nem precisão. Na sombra pastosa de uma atmosfera úmida e morna, já não nos governamos muito; é mesmo o destino que nos vai conduzindo, através de um sistema de portas, mesas, balcões, guichês...

Desaparece a passageira de pés dourados, deixando esquecida em qualquer parte a pequena carteira que trazia, tão cintilante quanto as suas sandálias. Alguém a levanta na mão, no meio da sala, à procura da dona. Como uma estrela que tivesse entrado no aeroporto. E recordamos aquela pequena frase de alegre sonho, quando estávamos ainda tão longe, e tão nos ares: "Dançaremos esta noite em Bombaim!"

Mas agora é a voz muito conscienciosa da funcionária, à sombra dos seus belos olhos, docemente franjados: "... tudo de uso pessoal?" – "De uso pessoal". Lança um arabesco de giz em cada mala. E mergulhamos na noite, na primeira noite do ano, ao longo da cidade que parece fluida como um rio, neste nosso deslizar pela estrada. Às vezes, sentimos que há palácios, varandas, manchas altas de arquitetura. Tudo, porém, desliza, foge, exatamente como na água do sonho.

(Oh, este nome de Bombaim? Havia outrora uma deusa chamada Mumba... No tempo dos primeiros habitantes... há muitos séculos... Criadores de gado e pescadores...)

Bombaim... Mumba... Mumba... Bumba... Bumba meu boi... Na sombra da noite, o Brasil, muito longe, desenha um momento suas danças:

> Alô, meu boi,
> é bumba,
> dança de frente!
> é bumba...

Mas a quem poderei explicar esta lembrança, tão tarde, sob tanta sombra, neste deslizar pela noite, entre o fugir das casas, com suas janelas, acesas, e o fugir das fontes, grandes e redondas como vastas mangueiras?

Havia um pouco de música pelo caminho. Que é? De onde vem? – Qualquer festa... (... é bumba!...) E o carro para à porta do hotel.

E, como o carro para, logo se levantam do chão muitos vultos sombrios, que se aproximam rastejantes, a esmolar, de mão estendida. Estavam ali, integrados no chão, como poeira adormecida, e como poeira se levantam, com vulto humano, e para nós se dirigem – poeira também. E, no meio da noite, a cena é vaga, triste e grandiosa: na opaca escuridão que ao mesmo tempo é terra, pano, pele, brilham grandes olhos patéticos, uns olhos que já vimos em pinturas e imagens milenares, com um olhar que existe desde a raiz do Tempo. Luzem pequenos dentes brancos, porque há um tênue sorriso sobre a súplica, em língua ininteligível, com timbre ingênuo de criança, com timbre grave de mulher sofredora, com timbre esmaecido e rouco de ancião desgrenhado e coberto de cinza.

É neste instante que o porteiro aparece, todo de vermelho, com enfeites dourados pelo peito e um turbante amarelo de cauda – um cometa que baixa sobre os humildes mendigos, e os faz volver à sombra rasa do passeio. Um cometa que vai e vem, que vocifera em marate o gujarate, ou que especial idioma com que se possa fazer aconchegar à grande poeira primitiva o transitório vulto humano que se levanta da miséria, do sono, – e pede.

A noite no quarto é uma substância densa e cálida, muito densa e cálida, que os ventiladores trituram no seu giro incansável. E essa densidade e esse calor aderem às decorações encarnadas – cor insigne do Oriente e imagina-se andar em bosque de papoulas, em gruta de rubis, atrás de pássaros de fogo – e abre-se a janela, à procura de um raio frio de lua, de um traço de nuvem branca...

A janela mostra um céu puro, calmo, estrelado. Crocita um corvo, sacudido no seu sono. Não há brisa. Mas sente-se o cheiro de mar.

Espera-se, então, que a noite termine sobre os edifícios fechados, sobre a rua deserta, sobre as árvores, sobre os jardins, sobre os corvos, sobre os mendigos.

E a noite termina. E muitos corvos crocitam e esvoaçam, das janelas para os telhados, dos telhados para as varandas, das varandas para as árvores. E aparecem crianças que vêm ver o dia. E o dia é verde, azul, chamejante, como no Brasil, com mangueiras e bananeiras, – rumoroso, povoado, colorido.

Aparecem os homens, muito limpos, com as pernas envoltas no alvo planejamento do *dhoti;* uns de camisa oriental, que flutua com o andar; outros, de paletó europeu. Cabeça descoberta, com esses luzentes cabelos negros que parecem ébano, laca, cetim – tão negros, tão negros, e que à luz do sol parecem polvilhados de safira. Cabeça enrolada em turbantes de variadíssimos feitios, e de todas as cores. Cabeça com *tope* branco – esse gorrinho simples que é recordação e símbolo da Índia independente.

E aparecem as mulheres com seus safáris tão elegantes, e que sugerem tantas coisas, num simples encontro de cores. O ar trágico de um sári preto com barras vermelhas, e a sensação lunar dos sáris brancos, levemente adornados de azul e prata! A mulher-flor que passa envolta em sedas róseas e verdes, e a mulher-crepúsculo, com seus véus amarelos e roxos...

Longas tranças negras; braços cobertos de pulseiras; brincos; enfeites no nariz; manilhas nos tornozelos; pés descalços, com a sola pintada de encarnado; sandálias de mil feitios, com tiras douradas, rosetas, fivelas... E as pregas e o arregaçamento dos sáris de algodão, de seda, de gaze, com barras bordadas, com barras de ouro e prata, lisos, estampados, flácidos, hirtos, conforme sejam do estilo de Bombaim, de Bangalore, de Benares...

Homens carregados com rolos de tapetes; com cestos de grãos; com tabuleiros de comida amarela e cor-de-rosa; homens com livros embaixo do braço... Rapazinhos com marmitas de comida, crianças pulando corda, mulheres com vasilhas d'água à cabeça... Muita, muita gente. Muitas, muitas cores. Muitos ritmos. Muitas direções. E os automóveis, os carros, com cocheiros de turbante; as bicicletas, os pedestres, e o cruzamento das ruas, e a pressa, e a ondulação de todos os vestuários, e a estridência da luz nas cores – burburinho...

Porque é uma turba tão rumorosa quanto colorida. Falam as crianças, a brincar, de uma janela para outra, ou em redor dos arbustos do jardim. Fala a menina a pular corda, com a outra menina que a observa, sentada num degrau. Fala o porteiro com os passantes; falam os passantes com os seus companheiros; falam os que vão nos carros com os que estão na rua; falam os vendedores, à sombra das colunatas; falam os que chegam ao hotel, falam os que partem... Falam todas as línguas da Europa, da Ásia, da Terra... Falam até português! Mas falam sobretudo inglês e os numerosos idiomas nativos, puros ou mesclados, com um ritmo martelado e rápido, com uma inflexão dura que as palavras, em si, não têm.

No meio dessa multidão de pársis e *sikhs* – gorros, turbantes, barbas – com mulheres que deitam o sári pelo ombro ou o trançam pelo peito, ou o arregaçam entre as pernas; com mulheres que usam largas pantalonas de seda e outras que ainda passam embiocadas, só com os olhos a espreitarem por uma gradezinha aberta no pano que lhes cobre o rosto – no meio dessa algazarra que vai aumentando com o crescimento do dia, destacam-se os jovens vestidos à europeia, com roupas muito bem talhadas e sapatos muito bem polidos. E passam ingleses cor de morango, ainda com capacetes de cortiça. E passam ingleses de pele farinhenta, com vestidos de cassa, muito frescos, muito feios, com essas mesmas florezinhas que andam estampadas pelas xícaras de chá, numa perpétua e inocente primavera.

Então, uma meninota pobre, de sári desbotado, mas coberta de brincos e pulseiras, como um ídolo maltrapilho, para no passeio, sozinha, a olhar a multidão que ondula, a sorver pelos seus tristes, imensos olhos, o panorama efêmero e multicor do mundo. Lentamente, leva à boca uma fruta amarela, que morde, embevecida. Uma fruta de polpa rósea, cheia de duros grãos, que aqui se chama *guava*, e é goiaba, no Brasil.

E enquanto a multidão humana, viva e ruidosa, cruza as ruas e Bombaim, os crocitantes corvos cruzam os ares, desabridos, ansiosos pelos mortos, que são o seu sustento.

Rio de Janeiro, *Diário de Notícias*, 13 de setembro de 1953

Caminhos de Bombaim

Jeanne precisa de um par de sapatos. Veio ao meu quarto, conversar. Sua janela dá para o outro lado. Examina, por isso curiosamente, o que se avista da minha.

Jeanne gosta de tudo, compreende tudo. As camas extremamente simples, quase reduzidas a um estrado; os lençóis muito leves; as portas apenas de vidro, e mal seguras; as janelas imensas; – tudo isto é como o clima o exige. Pois não estamos na Índia?

Jeanne achou o pão muito escuro; o criado, leve e diáfano como um papagaio de papel; o chá era delicioso, e a voz dos corvos não lhe inspirou medo nenhum.

Para ser absolutamente feliz, Jeanne precisa apenas de um par de sapatos, – pois, cheia de curiosidade, saiu pelas ruas de Bombaim, sem companhia, sem mapa, andou pela praia, pelos jardins, perdeu-se pelas encruzilhadas, quis ver de perto gente, lojas, coisas, e voltou para o homem com os pés inchados, embora metidos numas finas sandálias de ráfia.

– São os saltos – diz Jeanne. – Preciso comprar uns sapatos rasos. Há muita coisa para ver! Umas ruas com um cheiro fantástico de cebola, incenso, rosa, palude... Palácios fabulosos... O mar, cheio de embarcações. Vendedores de coisas indescritíveis. (Ela mesma nem chegou a entender para que serviam!)

Jeanne tira os sapatos. Seus pés são vermelhos e reluzentes, como esculpidos em coral.

O problema de Jeanne é trocar dinheiro. Começa a contar o que tem. Vai estendendo pela mesa montes e montes de notas italianas. Quanto será aquilo, em rupias?

Enquanto refletimos sobre graves problemas de câmbio, e melancolicamente observamos a desproporção entre o tamanho do papel-moeda e o seu valor, o quarto se enche de melodias orientais, vindas do pequeno aparelho de rádio embutido na parede, trêmulas, prolongadas, cristalinas melodias, pontuadas, no primeiro plano, pelo áspero gaguejar dos corvos que vão e vêm de uma janela para a outra.

Guardamos o dinheiro, interrompemos a música: vamos comprar sapatos.

Há tanta gente pelas ruas como se tivesse acontecido alguma coisa extraordinária. Jeanne quer encontrar templos, quer ver deuses, assistir às cerimônias, entender mistérios. Embora com os pés em fogo, esquece-se dos sapatos que precisa comprar, para me dizer: "Ainda não vi nada, mas sinto que não vou sair mais daqui!" E, como Mofina Mendes, vai imaginando a capengar: "Arranjo um emprego... Falo francês, italiano, inglês... Posso aprender estas línguas orientais... No fim da semana, tomo um trem, um avião... Ou alguém me leva de automóvel... Posso trabalhar numa casa que tenha filiais... A Índia é tão grande... Transferem-me para diferentes lugares..."

Paramos. Não porque a bilha de azeite tenha caído – mas porque Jeanne não pode dar mais um passo. E estamos à porta de uma sapataria!

Sandálias de todas as cores; de lona, de couro, de matéria plástica, de veludo; sandálias douradas, com enfeites faiscantes; sandálias bordadas a ouro e prata; de todos os feitios, para todos os gostos. As mais lindas são aquelas vermelhas e douradas, com um anel para segurar o grande artelho ou uma roseta para separá-lo dos outros...

Jeanne escolhe as mais simples de todas, umas de pano riscado, parecido com a sua saia. "Como devem ser agradáveis!" – exclama a pobre moça, pensando nos caminhos de Bombaim...

Rio de Janeiro, *Diário de Notícias*, 27 de setembro de 1953

Adeus, amiga...

Adeus, amiga: parto amanhã para Nova Delhi. Deixo-te, Bombaim, com suas inúmeras seduções, suas cores, seu calor, seu movimento, essa vibração das ruas e dos bazares, atravessada de lamentos de mendigos, vozes de mercadores, argentinas conversas infantis, e o envolvente riso florido das lindas raparigas, cobertas de joias, berloques, borlas, sedas, musselinas, com os olhos transbordantes de colírio negro e a juventude como uma rosa encarnada nos dentes.

Adeus, amiga: não esqueceremos este encontro inesperado, em terra tão distante. Os que creem na sucessão das vidas saberão explicar por que viemos ter aqui, e, sem antecedentes nem apresentações, desconhecendo-nos completamente, andamos uma ao lado da outra pelos mesmos caminhos, vendo os mesmos espetáculos, provando a mesma comida, fazendo as mesmas perguntas e reflexões.

Adeus, amiga: o que me espera, não sei. Vou-me por esses ares, quando o dia ainda for pequenino como um fio vermelho entre a terra e o céu. Bombaim estará adormecida nos seus canais, nos seus vestidos d'água, e, pelas apagadas janelas das casas, os sonhos do sono esvoaçarão, como pássaros que levam e trazem mensagens, panoramas, retratos efêmeros transmutáveis, irreais.

Adeus, amiga: irei pensando no fabuloso desenho dessas ruas que atravessamos juntas com todos os seus habitantes aglomerados, e todas as mercadorias expostas, e a vida vivida em todos os pormenores, ao longo dos passeios; os doentes em suas camas; as mães abraçadas com seus filhos; as frigideiras cheias de gordura, com a colher a virar bolinhos que vão ficando inchados e louros; cestos e cestos de grãos amarelos, verdes, pardos; frutas, folhas, flores... Irei pensando na pequena porta onde um futuro filósofo está sentado a ler um livro, – absolutamente desprendido de todos os rumores e ritmos que se desenrolam, os velhos de longas barbas, com pequenos gorros pretos, que parecem ilustrações da Bíblia, e até agora não sabemos se são pársis ou judeus... Irei pensando nas pequenas lojas onde se amontoam objetos de metal amarelo, e que parecem oficinas do sol; e nos poços de escuridão de onde às vezes emerge, por uma janela despedaçada, um rosto sem tempo nem história, a escorrer luz pelos líquidos olhos, pelos cabelos oleosos, entre véus de limo e flores aquáticas – deusa imprevista que logo se esconde na sombra palpitante. Irei vendo os teus olhos viajarem pelos desenrolados sáris, no mostruário copioso das lojas: pelas suas ourelas prateadas e douradas, pela sua larga barra metálica, onde há pavões e cisnes, leões e lótus, mas sobretudo a palma clássica, a curva folha, graciosamente torcida que o Ocidente reproduziu nos seus ornatos, interpretada em coração...

Adeus, amiga: levarei a lembrança da nossa aprendizagem de culinária, – quando nos explicavam como fazer complicados pratos de arroz com mostarda, coco, assafétida, castanha de caju, tamarindo, cardamomo, cravo, jagri... Que mundo perfumoso, esse Oriente a que chegamos! E a que jardins esmaltados, a que cenários de miniatura nos conduz o prestígio destas palavras – cinamomo, coriandro, gengibre, açafrão... Não esquecerei o nosso vagaroso êxtase entre amêndoas e pistacho, inhames e erva-doce, na descrição de pratos que ainda não vimos, e de doces que imaginamos, cobertos de folhas de prata, como em história de Xerazade...

Adeus, amiga: o pó do Jardim Zoológico, de árvores melancólicas, de animais tristonhos, não toldará a tua imagem ao lado de estranhas figuras com as barbas tingidas de henê, de mulheres ainda veladas, com seus capuzes castanhos e violáceos, e apenas uma pequena grade para o olhar: o teu sonho junto às crianças tão pequenas e já tão pensativas, que se entretêm a brincar entre as plantas, coloridas e puras, nos seus vestidos, como policromas anêmonas; e sussurrantes, nos seus enfeites, como sempre-vivas.

Adeus, amiga: fica emoldurada a lembrança – e onde é que as lembranças se emolduram e suspendem? – do largo parque por onde subimos e descemos, à procura, de perspectivas, de lugares longe, terrivelmente longe, – enquanto o guia, de braço estendido, nos apontava num ponto indeterminado as "torres de silêncio", em que os pársis mortos são entregues aos corvos... Que imensas árvores se levantavam dos abismos!... E que mansos pássaros se misturavam aos jogos das crianças e ao passeio dos homens, sem nenhum receio de que lhes pudessem fazer qualquer mal!

Adeus, amiga: fica tua figura entre outras figuras amáveis, pelas belas vivendas de Malabar Hill, com suas salas tão altas, suas escadas tão brancas, suas cortinas tão longas, a flutuarem à brisa, por parapeitos entre o céu e a terra, como nuvens familiares.

Adeus, amiga: fica tudo vivo entre nós – os negros mendigos sem mãos, nem pés, os meninos cegos, as mulheres grávidas, os velhinhos barbados, cobertos de cinza, que nós nunca soubemos se eram feiticeiros ou santos. Ficará o gesto claro das tuas mãos a distribuir moedas como quem dá milho aos pombos. E o guia a dizer-nos: "Não deem... não deem... ou deem apenas cobres..." E as tuas mãos a procurarem entender rupias e *annas*, sem saberem com que dinheiro se pode tornar alguém menos infeliz.

Ficam vivas as lojas ocidentais onde íamos procurar vestidos de verão, as lojas imensas, tão necessárias e tão sem sentido, com meias, camisetas, saias estampadas, vestidos com botões, cintos, bolsos, – essas coisas que o Oriente não entende – essas lojas em cujos balcões se podia ver, melhor que no mais perfeito mapa, a linha divisória de dois mundos – de um lado, caixas e caixas de engenhosas coisas de pano, elástico, metal, barbatanas... – do outro, peças de seda e algodão que enrolam o corpo com uma sabedoria antiga, tornando-o imediatamente uma forma não apenas humana, mas aparentada com os deuses, com as esculturas dos templos e museus...

Adeus, amiga: não esqueceremos as blusas dos bazares, todas recamadas de mica, e o nosso espanto um pouco infantil, e a nossa interrogação cheia de dúvidas: poderíamos algum dia vestir, em algum lugar, aquela roupa encantada, quase mágica – talvez mágica, mesmo... – cor de violeta, cor de mar, cor de papoula, cor de anil, com todo aquele esplendor de luzes presas nas espelhantes escamas? E começávamos a recordar contos maravilhosos, com princesas que tinham vestidos bordados de vaga-lumes...

Adeus, amiga: irá comigo o recorte da praia, larga e vazia, com um pesado sopro de aragem tentando elevar-se das águas e alcançar a cidade. Se fôssemos sempre andando, sempre andando, muito tempo, muito tempo, encontraríamos uma ilha, e nessa ilha uma caverna, e nessa caverna muitos deuses...

Era o templo de Elefanta. Olhávamos para esse lado, ali a poucas milhas... Mas o que estava na nossa frente era o pórtico por onde outrora subiam os que vinham do mar. E ouvíamos as vozes e víamos entre os vultos dos que por ali descansavam a tomar fresco, fatigados pela noite ardente que descia sobre nós como um céu denso de chumbo, apesar das estrelas, de tantas estrelas, e da lua...

Adeus, amiga: verei as nossas pequenas figuras, na noite larga a passear de *gare*, a pequena carruagem de um cavalo, vagarosa e sobrenatural.

Um cocheiro antiquíssimo, com a cabeça muito enrolada num enorme turbante, a mover de vez em quando o chicote, com um ar de quem não se atreve a bater no animal, seu companheiro de trabalho e de vida. Não dizíamos nada: a carruagem rolava na noite adormecida, o rosto do cocheiro, escuro e silencioso, perdia-se na sombra do turbante e da manta que lhe envolvia os ombros. Rolava a carruagem. Cavalo, cocheiro, tu, eu, estaríamos acordados, ou dormindo? Vivos ou mortos? E quem éramos, com certeza, fora do nosso nome, do nosso passaporte, das relações que ao longe conservávamos – tão longe, além de tantos mares e montanhas...?

Adeus, amiga: não esquecerei, sobretudo, a pequena música de flauta, pura como um fio de perfume, que começou a subir, muito leve, muito doce, de algum lugar que não víamos. Era um encantador de serpentes? Era um poeta, na solidão, compondo seu monólogo, sob as estrelas? Olhávamos, olhávamos, e não distinguíamos nada. O cavalo sonolento devia também ouvir aquela vaga melodia. E o cocheiro devia saber alguma coisa. Mas não perguntamos. E eu pensava que era Krishna, o deus do Amor, todo azul como safira que de longe chamava, misticamente, as almas enamoradas.

Adeus, amiga: parto amanhã para Nova Delhi.

Rio de Janeiro, *Diário de Notícias*, 11 de outubro de 1953

Retrato de uma outra família

Estávamos todos muito emocionados, quando hoje nos reunimos no lugar do assassinato do Mahatma Gandhi. Tão pura, a manhã, – tão leve, tão alto, tão diáfano o céu! – tão delicioso, o sítio, agora contornado por uma suave moldura de arbustos, que a lembrança da tragédia ali se transformava em sonho. Todos íamos tão silenciosos que se ouvia o ranger da areia, em nossos passos; e sentia-se o borbulhar dos nossos pensamentos, cuja dor se atenuava naquele recinto de paz. Estarão mortos, realmente, todos os mortos?

Quase em segredo, alguém recordava o episódio fantástico: Ele estava ali, – como de costume – para uma reunião mística. Daquele lado, veio o assassino, um místico exaltado (ah! quem sabe por que se mata e por que se morre, e quem, realmente, está matando ou está morrendo?) e prostrou-o a tiros. Ali caiu. Exclamou apenas: "Ó Deus!"

A descrição diluiu-se no ar, – porque o céu é muito alto, e o horizonte muito amplo, e o sopro da palavra humana, – como o próprio sopro da vida, – uma coisa tênue e fugitiva, sem vestígio nem eco.

A sombra do acontecimento, aqui, no verdadeiro lugar em que ocorreu, não tem nenhuma escuridão, não possui densidade de sofrimento. Nesta atmosfera da Índia, tudo se torna transitório – e transparente. Tudo vem até os homens e logo volta para Deus. Há circunstâncias violentas, – como a desta morte. E há uma saudade, uma camaradagem perdida, – como a desta ausência. Mas a humildade da condição humana é um sentimento profundo, perenemente acordado nestes olhos que nos olham, nestes lábios que nos falam, neste gesto que ondula obediente, – e a doçura de ser humilde é tão adorável que se torna paradoxal, e é como um grande orgulho. Porque há no místico essa perturbadora incoerência: quanto maior seja a sua modéstia, e mais completa a sua renúncia, mais fácil a sua aproximação de Deus.

Deus, Deus, sempre Deus. Como no último instante, na boca do Mahatma, essa é a palavra mais vivamente escrita por toda parte, em terras da Índia, seja nos variados caracteres dos diferentes idiomas, seja sem forma alguma, – e, no entanto, visível, nítida, – nos monumentos, nos caminhos, nas atitudes, na posição de cada coisa, na concordância de cada ritmo e de cada som.

Fomos colocar uma coroa de flores no lugar em que foi cremado o corpo de Gandhi. A paisagem é tão bela que se tem vontade de ficar ali para sempre, sem nenhuma dependência do mundo, pensando: sentindo elevar-se, deste efêmero corpo que nos conduz, esta espécie de chama em que nos reconhecemos. (Esta espécie de chama que a todo instante múltiplos ventos dispersam, torcem, abafam!)

Caminhávamos todos juntos, sem falar. Com uma espécie de alegria deslumbrada. Éramos ainda todos desconhecidos uns dos outros. Vínhamos de lugares tão diferentes! – da Inglaterra e do Japão, da França e dos Estados Unidos, da Itália e do Irã, do Egito e do Brasil... E, com os discípulos e amigos de Gandhi, tirávamos os sapatos para nos aproximar respeitosamente daquele venerável sítio onde o fogo consumira seus ossos, e onde mãos devotas estão perpetuamente desenhando, com brilhantes corolas, na borda da pedra, o nome de Deus, com que se encerrou a sua vida. Deus, Deus, sempre Deus.

Todos juntos colocamos a coroa de flores, que carregáramos juntos, como se nessa homenagem houvesse um compromisso de solidariedade total. E ali nos demoramos, sem palavras, entre pessoas da terra, que nos fitavam sem saber quem fôssemos – homens, crianças, mulheres, velhos envoltos em xailes, vestidos de grossos casacos, – tranças, barbas, turbantes, sáris – todas as cores dos jardins em sedas e lãs: amarelo de girassol, carmesim de buganvília, brasa de gladíolos, todos os tons de fúcsias, papoulas, anêmonas.

Por que nos encontrávamos ali? Por que nos tinham chamado de tão longe? E por que tínhamos vindo? Que desejavam de nós? E que podíamos fazer?

Crônicas de viagem 2 ✦ 167

Como em sonho, terminávamos a nossa visita àquele homem desaparecido, e, no entanto, bastante presente para arrastar-nos aos lugares do seu desaparecimento, e para nos reunir, durante dias e dias, em redor das suas ideias, na tentativa de ajudar a construir um mundo melhor.

Que pensava cada um de nós, naquele momento? Qual de nós saberia bastante para ajudar a resolver alguma coisa deste mundo? E até onde vai o poder dos homens e a força dos acontecimentos? E que são, na verdade, as ideias de Gandhi? E quais são as que têm o poder de modificar os fatos e as criaturas, e a força de caminhar por este vasto e desvairado mundo, e a magia de deixar em cada porta exatamente a mensagem que cada habitante deseja, necessita, espera e aceita com amor?

E agora somos este retrato:

Professor Tucci, que vem da Itália, onde dirige uma instituição de estudos orientalistas. Nervoso, apaixonado pelos assuntos de sua especialidade. (Ouvi dizer que fala trinta línguas orientais.) Sentou-se, cruzou a perna, sossegou um momento. Mas sua alma está por esses caminhos da Índia, pelas aldeias tão pobres e tão limpas de que já me falou com ardor. Está pelo Tibete. Está entre fragmentos de cerâmica antiquíssima, com que anda ressuscitando não sei que mundo, ou construindo não sei que teoria.

Dr. Mohamed Hussein Haekal, do Egito, grande sabedor de Direito e de Educação com um pequeno sorriso quase satírico, – mas tão afável, – apesar de tristemente convencido de que os problemas da humanidade são igualmente amargos nos quatro pontos cardinais. Com olhos fatigados, fita a objetiva através de grossas lentes. Mas quem poderá dizer o que está vendo, enquanto se deixa reduzir a uma simples fotografia?

Lord Boyd Orr, que é *Lord* e é Prêmio Nobel. Rosa e neve. Com umas sobrancelhas que parecem uma floresta branca. As mãos, inquietas por saírem do lugar, para pescarem o cachimbo, o tabaco e os fósforos. O lábio inquieto por uma breve história humorística que lhe acenderá nos pequenos olhos profundos uma faísca de inteligência igual à do fósforo logo transformada em aroma e fumo.

Dr. Matine Daftari, do Irã, entre solene e irônico, adornando conceitos de jurista internacional com versos de Firdusi, Saadi e Omar Khayyam... Pousou nos joelhos o grande chapéu de feltro. (Para ele, a Pérsia antiga tornou toda a Beleza mais bela, porque lhe deu requinte.)

Dr. Ralph Bunche, americano, e Prêmio Nobel da Paz, tem o ar de quem procura uma fórmula prática e eficiente para a solução pronta de todos os problemas. Será por isso que torce um pouco as mãos?

Professor Massignon, do Colégio de França, um erudito que sabe tantas línguas quanto o professor Tucci, e cuja cabeça, todas as vezes que o encontro, me faz pensar em Romain Roland: o mesmo ar sonhador, a mesma face magra, e a atitude um pouco ausente do estudioso que vem de longe, arrancado a seus livros...

Professor Yusuke Tsurumi, pacifista japonês, tão lúcido, tão sensível, de uma cortesia milenar...

Os discípulos de Gandhi: Pyarelal, que foi seu secretário – e usa o *dhoti* branco, o pequeno gorro, e um grande xaile de lã... Saheb Kaleklar, também veterano das campanhas antigas, apaixonado pelas ardentes ideias que palpitam em cada frase do Mestre... Narendra Deva com um ar feliz de quem tem nos olhos uma inesquecível revelação.

Os altos funcionários do Ministério de Educação: Junankar, – severo; Saividain, – extremamente doce; Kabir, – cintilante e sorridente; Sethi, – amável, um pouco distraído, um pouco esportivo; Nagappa, – discreto, quase tímido.

Eis a família que somos, agora, aqui sentados, diante dos fotógrafos. Uma família cujo sangue deve ser de pensamento e amor.

A sra. Alva Myrdal, enviada da Unesco, vem para uns breves instantes. Fica entre o ministro de Educação, Maulana Abul Kalam Azad e o primeiro-ministro, Pandit Nehru.

Os fotógrafos estão por todos os lados, em todos os ângulos, nesse pátio do Parlamento. (Daqui a pouco será a inauguração do Seminário.) Fixam todas essas figuras no papel. Mas a que não aparece é a que mais se vê: irradia, cheia de enigmas e sugestões, fala, exemplifica, insiste: é Gandhi, o Mahatma, cujos ensinamentos atravessaram as fronteiras da Índia imensa, e chegaram a todos os povos... (Por amor aos seus ensinamentos, de tão longe, e alheios uns aos outros, viemos todos ter aqui.)

Rio de Janeiro, *Diário de Notícias*, 8 de novembro de 1953

A casa e a estrela

Para onde vou, que o dia se me afigura tão leve, e a paisagem mais bela que nunca? Ao encontro de quem vou, para que meu coração se adapte a um novo ritmo, e o mundo, dentro de mim, seja, mais do que nunca, um forte contraste de amargura e alegria?

A cidade do Porto não tem, aos meus olhos, essas doçuras límpidas de Lisboa. Não é tanto uma aquarela, de suaves manchas nacaradas – mas uma gravura enérgica, no ímpeto de suas ladeiras, na dureza das suas pedras. Nem o Douro é, como o Tejo, rio de ninfas douradas, mas um caminho de água, poderoso e ativo, todo rastreado pela mastreação dos barcos e pelas sombras do trabalho humano.

As ruas do Porto não se me afiguram nunca bastante descansadas para qualquer passeio: sobem e descem, fogem por um lado e outro; seu próprio traçado é cheio de movimento e, mesmo se estivessem vazias, ver-se-iam resvalar sozinhas, ir para muitos lugares, escondendo-se e reaparecendo entre os altos sobrados, por detrás das igrejas, em redor das praças, no sopé das pontes.

Que venho fazer nesta cidade, de paisagem um pouco turbulenta, e por que procuro não aquelas vistas que, de outras vezes, têm sido o meu enlevo?

Por que renuncio aos painéis e às torres, a essa contemplação da arte que é sempre um dos melhores momentos para se agradecer e aceitar a existência dos homens?

Ah, porque eu venho visitar uma sombra. Um fantasma, que, se fosse vivo, teria mais de duzentos anos. Sua tênue lembrança é tão forte que se impõe à beleza do caminho – superior aos encantos sempre novos que o margeiam; mais importante que os vivos que circulam, com seus trabalhos e problemas; mais exigente que os amigos atuais, seguros da nossa amizade e da nossa admiração.

Venho visitar "um triste pastor". Um triste pastor arcádico. De outros campos. De outras ovelhas. Com os olhos perdidos por lugares muito estranhos, e a vida despedaçada, por forças sobrenaturais.

São estes os sítios?

Por sua causa, rodeamos a cidade, vamos contemplá-la de longe, do outro lado das águas cheias de sombras e movimentos; por sua causa, andamos por estes bairros que não parecem de hoje, mas livres do tempo, resguardando na sua antiguidade cenários que buscamos, figuras que estão para sempre vivas e presentes.

E assim, passo a passo, vencendo quadros de vigoroso realismo, com tipos humanos profundamente expressivos, avançamos por estes lugares rústicos, de onde se levanta o cheiro violento das atividades ribeirinhas. O sol não penetra, apenas ilumina estes recantos úmidos, a curva destas arcadas grossas e antigas, o degrau, a corda, o barril, a água densa e oscilante, que lhe desagrega ora uma chispa amarela, ora uma chispa encarnada...

São estes os sítios?

Estamos pensando numa casa de Miragaia. Numa casa que encontraremos – embora sem o seu único habitante imortal. E essa escolha que o destino exibe vai alimentando o nosso pensamento com a sua seiva de mistério.

Oh, quanto pode em nós a vária estrela!

A estrela levou-o para inesperados lugares. Assim também o tinha elaborado, com sonhos de diferentes origens. Como em certo poema de Rilke, veem-se essas raízes irlandesas, londrinas, brasileiras e portuguesas virem de longe, para formarem a árvore cujos ramos mais altos se afeiçoarão em forma de lira. E esta casa era um ponto central, nessa obscura formação.

Que leis secretas movendo de tão longe tão diversos personagens; que razões particulares – comerciais? políticas? – que sentimentos, que interesses aproximam essas vidas, esses nomes, ligam criaturas que terão de desaparecer na sua humildade, ou serão evocadas apenas em função daquela existência que foi, de certo modo, a sua única razão verdadeira de ser? Que mulheres, que capitães, que doutores, que viagens, que estudos, que casamentos e batizados, que mortes, mudanças, contratempos – em redor do Poeta cujo nome ficaria assinalando esta casa, entre todas as casas deste bairro, nesta cidade, neste país... Neste país, apenas? Oh, não – na Europa, na América e na África!

> Eu, Marília, não sou algum vaqueiro
> Que viva de guardar alheio gado...

A casa é alta, de dois andares, sobre os grossos arcos seculares. Alta e estreita, branca e azulada, com vidraças de muitos recortes. Feminina e graciosa. Naturalmente, não será como foi. Ou será? Não ficaria mal em Ouro Preto, com sua sacada de ferro corrida, com seu beiral, com seu ar de discreta solidão.

Ali nos aparece o Poeta, ainda menino, com seus cabelos louros e seus olhos azuis. Uma varanda para ver as águas. Os rios que vão para o mar. O mar que leva a outros continentes. O Brasil, as minas, o amor...

> Porém, gentil pastora, o teu agrado
> vale mais que um rebanho e mais que um trono...

Quando voltaria a subir àquelas varandas? Pernambuco? Bahia? Onde passou a flor da sua idade? Órfão pequenino, um pai sem vocação para viúvo, uma irmã muito mais velha desejando ser freira... Coimbra. Os estudos. O marquês de Pombal. Os Távoras... Dona Maria I, a sensível, a dolente... Os amigos, companheiros de estudos, meio parentes. Esse inquieto Alvarenga, esse Cláudio, um pouco formal. Alceus, Glaucestes, Elpinos... A Itália de Metastasio. Os livros do duque de Lafões que Portugal não deixava entrar. Essas ideias de liberdade...

A casa é alta, branca e azul. Por ela continuarão a passar o sol e a lua e todas as estrelas. Nunca um poeta se enganou tanto:

Depois que nos ferir a mão da morte,
Ou seja neste monte ou noutra serra,
Nossos corpos terão, terão a sorte
De consumir os dois a mesma terra.
Na campa rodeada de ciprestes,
Lerão estas palavras os pastores:
– Quem quiser ser feliz nos seus amores,
Siga os exemplos que nos deram estes...
Graças, Marília bela,
Graças à minha estrela.

Que estrela é essa que o faz padecer entre as escuras vertentes de Vila Rica? De que confusos céus baixam essas ordens de prisão, esses sequestros, esses ferros, essas inquirições? Que inimigo o aponta, com tanto poder que não há como fugir à condenação? Não há como evitar essa viagem para longe, para o exílio, onde é preciso recomeçar, sobreviver, esquecer os dias dourados de imaginário amor?

A sorte deste mundo é mal segura;
se vem depois dos males a ventura,
vem depois dos prazeres a desgraça...

E tudo isso para quê? Para que a prisão, o degredo ou a morte, na luta contra as ideias? Se há um dia em que um príncipe virá realizar o sonho dos Inconfidentes, à luz da conjunção de outras estrelas...?! Pois que as estrelas mudam:

As glórias que vêm tarde já vêm frias
E pode enfim mudar-se a nossa estrela.

Não; Marília não lhe cerrará os olhos, mas ficará imortalizada pela sua lira. Seu privilégio será esse. Também, por ela, obscuramente por ela, a criança nascida nesta casa teria de cruzar o oceano, de ir tão longe, naquelas morosas viagens do século XVIII, porque era do seu destino celebrar uma mulher que não partilharia da sua sorte, embora em seus versos ficasse viva para sempre.

Mas se aos vindouros
Teu nome passa

É só por graça
Do deus do amor...

E eis-me aqui, mais de duzentos anos depois do nascimento dessa criança, a contemplar a sua casa como se fosse a de um parente querido. Quem diria, Gonzaga, que nascias aqui, mas era ao Brasil que pertencerias? Quem diria que, com o berço em Miragaia e o túmulo em Moçambique, a terra onde terias de sofrer seria o meu país, e a tua prisão seria a minha cidade?

Mas ainda vale mais que os doces versos
A voz do triste pranto.

E porque foi lá que choraste, aqui estou. E porque disseste para sempre estas palavras que cada poeta – ao menos os poetas! – devia ter gravadas no fundo dos olhos:

... Infame, indigno,
Obras como costuma o vil humano:
Faço o que faz um coração divino.

Por essas palavras, vale a pena esquecer a inconstância da estrela, e pensar em ti, Gonzaga, diante da tua casa, que também sobrevive, alta e branca.

São Paulo, *Diário de São Paulo*, 1953

Ritmo de um congresso

Muitas coisas me encantam neste palácio do Nizam de Haiderabade, onde estamos instalados, nós, os estrangeiros participantes deste congresso reunidos em Nova Delhi. Da sua arquitetura não sei muito, ainda não tive tempo de reparar pelo lado de fora: por qualquer porta que saia, sou logo abraçada pelo jardim de flores (muitas rosas, muitos amores-perfeitos) e há sempre coisas que me distraem e não me dão tempo de levantar os olhos para o edifício.

Quando cheguei aqui, a primeira grande impressão foi a dos tapetes. Estas grandes salas assim forradas de um azul suntuoso, mais carregado que o das turquesas, porém mais festivo que o das safiras, são como uns imensos escrínios, de muitos silêncios acumulados, de suaves muralhas que separam do mundo e tornam possível o supremo de pensar. Aliás, é como se os tapetes estivessem eles mesmos pensando, – pois, sobre esse azul luminoso e mineral, correm arabescos, despontam centelhas, desdobra-se um universo misterioso como o que surge do fundo dos caleidoscópios.

O palácio tem, naturalmente, confortabilíssimas poltronas, armários, mesas, estantes, mas tudo isso lembra o Ocidente que, visto daqui, é bem triste, mesquinho e vão. Os tapetes, ao contrário, fazem parte desta atmosfera; eles repetem, dentro de casa, a maravilha dos jardins que, na verdade, são, no Oriente, a imagem do Paraíso. Caminha o olhar pelas suas cores como por alamedas floridas, sentindo o polígono dos canteiros e o arco-íris do sol nos jorros d'água. O oriental senta-se nos seus tapetes exatamente como num relvado, num campo, numa primavera. Os tapetes guardam todas essas lembranças de flores, pássaros, borboletas, arroios, brisa, estrelas, – o passo dos homens e a presença de Deus.

O palácio tem um pátio interno, quadrangular, com os seus canteiros geométricos e um passeio em toda a volta. Pois os tapetes saem de casa e caminham por esse passeio: como grande lagarta azul, deslizam pelo mármore; – vão ver o jardim verdadeiro que ali cresce, resguardado do mundo, e cujo destino é alegrar as portas dos aposentos que o contemplam dos quatro lados.

Afirmaram que, muito cedinho, o rouxinol vem cantar neste jardim. Por sua causa, tenho feito o possível por madrugar: ouço várias conversas de pássaros (embora não as entenda, como, outrora, certos sultões felizes), – mas não encontro, nelas, a sua voz. O que se imagina é quase sempre mais belo do que o existente. Imaginarei, portanto, o rouxinol, que aqui se chama *bulbul,* e o canto borbulhante como o seu nome, a cascata musical desenrolada sobre estas plantas, quando o céu ainda é cor-de-rosa.

Outra coisa que me encanta é a água despenhada no mármore do quarto de banho. Estamos no inverno, faz muito frio, mas tenho reparado que este mármore tem uma temperatura suave e uma superfície tão aveludada que não se sente nenhum desconforto em caminhar por ele de pés descalços. Enquanto me deslumbro nestas largas festas d'água, o muçulmano que se ocupa do meu quarto e da minha pessoa pousa na peça contígua, ao lado da minha cama, a bandeja do chá da manhã.

Andei sem saber que título dar a este jovem, todo tiritante nas suas vastas roupas de lã branca. Vejam o que ele faz: à hora que lhe indico na véspera, *tchê, sat, soli-sat* (mas tendo o cuidado de mostrar-lhe os dedos, para entender bem que são seis, ou sete, ou sete e meia), vem trazer-me a bandeja do chá. Coloca-a na mesa, e retira-se. Quando presume que já estou vestida e pronta para o pequeno almoço, bate-me levemente à porta. E oferece-me com uma reverência e o *salam* muçulmano um botão de rosa encarnada. (Este botão de rosa não é galanteria nem privilégio. É um uso. Se estivéssemos no verão, a rosa seria amarela.) Depois, enquanto estou tomando o pequeno almoço, na sala comum, com os companheiros, ele se ocupa do meu quarto: arranja a cama, põe flores novas na jarra, fecha a porta e vai entregar-me a chave. Quando chego das reuniões ou de alguma festa, lá está ele à minha espera, à entrada do palácio. Tira-me a chave da mão e vai na frente para abrir-me a porta. Faz-me outra reverência, pergunta (já nos entendemos) a que hora deve trazer o chá no dia seguinte – torno a mostrar-lhe pelos dedos, *tchê*, *sat*, *soli-sat*, e com outro *salam* nos despedimos. Pela manhã tudo recomeça do mesmo modo.

Pois, como ia dizendo, eu não sabia que título dar a este jovem, que não é um criado, que não é um porteiro, que é uma espécie de poeta e de anjo da guarda, que me ensina que água é *páni*; leite, *dudh;* pão, *ruti*; quente, *garam*; frio, *thanda*; bonito, *sundar*; limpo, *sáfar*; que não se importa nada com papéis rasgados nem ralos entupidos, mas se interessa muito por flores, pássaros, panos bordados, versículos do Alcorão... Perguntei aos meus amigos indianos que coisa era uma pessoa assim. Disseram-me: *tchucla* ou *nókar*. Mas custava-me dar-lhe esses nomes. Ele não era um criado, na concepção ocidental. Depois, reparei que os da sua classe se tratavam uns aos outros de *bai* – o que quer dizer "irmão". Está claro que eu não o trato assim, mas pelo seu nome. No fundo do meu coração, porém, ele é como um irmão, um irmão muçulmano, sob o céu hindu – o que me parece um sentimento verdadeiramente cristão. E essa é outra coisa que aqui me encanta.

O professor Tsurumi, que é o nosso colega japonês, foi o primeiro a descobrir a mansidão dos pássaros deste pátio. Ele vinha lá do seu quarto, para a sala do pequeno almoço, com o seu andar tão característico de japonês vestido à ocidental. Vinha andando, vinha andando, e os pássaros não se importavam com ele. Então, o professor parou. Os pássaros, na mesma, a conversarem os seus assuntos particulares ou universais. O professor achou interessantíssimo. Desceu do passeio. Aproximou-se dos pássaros. Nem olharam para ele. Porque os pássaros na Índia não têm medo dos homens. Não há memória, na sua tradição, de homens que houvessem feito mal aos seus antepassados. Ficamos todos ali a pensar em pássaros mansos, em gente mansa, e eu a recordar aquela palavra do jovem muçulmano: *bai*. Podíamos todos ser irmãos? Podíamos. Devíamos.

O pequeno almoço é muito ocidental, com chá e café, papas de aveia, geleia de laranja, torradas. Até ovos estrelados, para quem quiser. E grãos torrados, – amêndoas, pistaches – a melhor coisa da mesa, para quem deseja sentir o Oriente em redor de si.

Depois do pequeno almoço partimos todos para o Parlamento, vastíssimo edifício, de altas escadarias, – elevadores, varandas, portas, sáris, turbantes que vão e vêm – onde se realizam diariamente as reuniões do congresso. Cada um ocupa seu lugar à mesa, presidida por *Lord* Boyd Orr. Começam as exposições, os debates. O microfone roda de um lado para outro. Ao fundo do recinto, os assistentes acompanham os trabalhos.

Quem pensar que os indianos são lentos e vagos, não está pensando com acerto. Tem-me acontecido não poder acompanhar a marcha de um destes companheiros. Não sei como podem dar passos tão grandes, com pernas que não são assim tão compridas.

Pois no congresso é o mesmo. Eles falam, justificam, aparteiam, insistem, voltam atrás, continuam, decidem.

O que mais me encanta na Índia é a ânsia do povo em realizar coisas boas, de um modo exato. A ânsia de construir. De dar um sentido à Independência, obtida com tantas e tão longas lutas. A busca de uma direção. Um interesse patriótico, junto ao eterno interesse sobre-humano. Realmente, como uma ressurreição.

Nós, os do Ocidente, devíamos estar aqui para aprender. (Esta é a minha opinião.) Mas estamos também para contribuir. (O que me parece gentileza oriental.) Às vezes, nem ouço o que estão dizendo em redor da mesa. Vou fugindo, fugindo... Vou achando todos os pensamentos ocidentais rasteiros e incolores, diante da experiência humana deste lado do mundo, tão alta, tão viva, tão copiosa.

Depois, volta-se para o palácio de Haiderabade. Recordo o que se disse, o que se pensou. Enterneço-me. Tudo me parece transcendente, mesmo o vulgar e fátuo, neste encontro e nestas discussões. Afinal, todos poderíamos dizer uns aos outros, neste grupo: *bai*. Seria suficiente.

Rio de Janeiro, *Diário de Notícias*, 3 de janeiro de 1954

Ocidente perplexo

Lord Boyd Orr, que está presidindo esta sessão do Seminário, depois de breves indicações sobre a marcha dos trabalhos, começa a falar de Gandhi. Um homem que disse: "Deus é verdade e amor". Coisa que já não era inédita. O inédito é a sua aplicação à vida diária, – à política e à economia. Gandhi lidava especialmente com a Índia. Como poderão ser seus métodos aplicados no resto do mundo?

Lord Boyd Orr com seus cabelos e sobrancelhas muito brancos e cintilantes desaparece, de vez em quando, aos meus olhos: escuto apenas a sua voz, moderada, experimentada, voz de Prêmio Nobel, e de muitas andanças, por este mundo, – voz que parece vir de uma alta montanha nervosa, toda emaranhada em cristais de água. *Lord* Boyd Orr levanta o indicador, e chama a atenção dos ouvintes para um certo número de fatos que lhe parecem muito importantes. E enuncia-os: o avanço da ciência e os poderes imensos que ela tem colocado ao alcance dos homens (pode-se fazer ou destruir o mundo, com grande facilidade). A centralização do poder: um pequeno grupo pode dispor do mundo inteiro. A expansão da educação e um mais alto padrão ético de vida: as criaturas querem viver em paz umas com as outras.

Lord Boyd Orr declara este Seminário muito importante, pede que todos se manifestem livremente e dá a palavra a Acharya Kripalani. (Não sem dizer, com seu humor inglês, que, se pronunciar mal o nome de qualquer dos presentes, isso não deve ser tomado como ofensa...)

Acharya Kripalani parece um pássaro branco, – todo envolto num xaile do Cachemir, com o *dhoti* a subir-lhe dos tornozelos magros até a cintura; um colete de lã bege a proteger-lhe o tronco um pouco arqueado – nariz adunco, face pálida, o cabelo ralo penteado para trás. Tem na boca um sorriso constante, embora vagamente triste. E uma remota cintilação nos pequenos olhos escuros sempre um pouco além do horizonte.

Companheiro de Gandhi, tendo sofrido numerosas prisões por atividades antibritânicas, político, estudioso de História, Acharya Kripalani parece exercer grande influência na orientação ideológica do seu meio. Apresentou ao Seminário uma longa contribuição sobre Gandhi e seus pontos de vista. Como essa contribuição foi escrita, acrescenta alguns esclarecimentos orais que Gandhi não foi um pacifista no sentido completo do termo. Para ele, o maior mal não era a violência, mas o medo. Por medo, pode-se suportar humilhação e tirania. Pode-se ser até criminoso, por medo. A violência, ao menos, é positiva; o medo é negativo. A violência é vitalidade mal orientada. Pode ser orientada convenientemente.

Insiste na explicação da não violência de Gandhi, uma não violência de alma forte, disposta ao sacrifício; na sua capacidade de ficar só com as suas ideias, quando as considerava certas, a despeito de quaisquer opiniões divergentes; no seu sentido de "urgência", no seu impulso, para a realização do que lhe parecia inadiável.

Depois dessas observações, e quando *Lord* Boyd Orr oferece a palavra a quem quiser discutir, o americano dr. Ralph Bunche, Prêmio Nobel da Paz, principia a falar. Fala de um modo muito especial mas que, segundo já ouvi dizer, é considerado o modo elegante de discursar em inglês: com o ar titubeante de quem pede muitas desculpas por estar usando a palavra, com pausas tímidas, incertezas, reticências. Em suma, dr. Ralph Bunche deseja saber como Gandhi conseguiu atingir o povo, melhor que ninguém. Qual era a sua técnica? Era a sua influência que o diferenciava dos outros chefes? É certo que, por toda parte, há um desejo de paz, como acentuou *Lord* Boyd Orr; mas nem as pessoas, nem as organizações encontram meios de atingir o povo com uma fórmula eficiente, como Gandhi conseguiu no seu país. Fórmula que se faz indispensável, para evitar acontecimentos desastrosos.

Quando Acharya Kripalani começa a responder, não posso deixar de refletir sobre as distâncias que medeiam entre o Oriente e o Ocidente, sobretudo quando esse Oriente é a Índia, e, esse Ocidente, os Estados Unidos.

Tão grande é essa distância que permite, depois de certo tempo, a interferência do professor Humayun Kabir, para quem a arte de fazer discursos é absolutamente oposta à do dr. Bunche. Vivíssimo, inteligentíssimo, tão rápida é a sua elocução que eu, se pestanejar, perco o fio de suas palavras.

Então, o professor, que está secretariando o Seminário, começa a explicar melhor o que diz o dr. Bunche acerca da influência de Gandhi sobre a multidão. De passagem, vai respondendo, também. Fala da identificação de Gandhi com seu povo, adotando suas crenças e seus costumes, sua atitude, sua linguagem, seu vestuário...

Kripalani continua as revelações: certamente, foi o tempo próprio, a personalidade de Gandhi, sua identificação com a alma do povo indiano, e o uso de novas armas que lhe permitiram essa vitória sobre a Inglaterra. As novas armas da não cooperação, da descentralização e do descontrole do poder. E da aceitação do sacrifício. É preciso que algumas nações deem esse exemplo. Kripalani crê na abolição dos conflitos, não violentamente, pela força moral do desarmamento. No seu entusiasmo – entusiasmo que todos lhe reconhecem – sugere que as nações digam como Cristo: "Vou morrer na cruz" – e se deixem crucificar pela salvação do mundo.

Então o francês Massignon insinua delicadamente que os homens têm sido preparados para morrer na guerra, e não para evitá-la; mas acha que também poderiam ser educados dentro dos ensinamentos de Gandhi. Recorda o Mahatma; repete suas palavras: "Deus é a essência do amor". Crê que, por amor, se poderá formar, nas criaturas, uma personalidade capaz de afirmar: "Estou pronto a sacrificar-me, por amor à não violência". Crê também na importância do voto. Do voto no sentido de promessa ou juramento. O respeito à palavra empenhada.

E é assim que, das perguntas do dr. Bunche se vai originando uma explanação múltipla de pontos de vista, uma vasta explicação das ideias de Gandhi, suscetíveis de originar largas interpretações.

Todos se esforçam por esclarecer. E Kaka Saheh Kaleklar penetra profundamente no assunto: Gandhi (que ele diz Gandhiji, por veneração) acreditava no poder moral e na força bruta. Para se combater sem violência, é preciso possuir força moral. Conhecia seu povo, sabia que o podia dirigir e unir. Enquanto os administradores e governadores não dispõem senão de força física e de diplomacia, ele dispunha da força e do poder moral da Índia...

Assim prosseguem os debates. O Ocidente e o Oriente face a face. Duas visões do mundo. Dois conceitos de vida, de heroísmo, de luta, de vitória. O dinamismo e a renúncia. Os pés bem agarrados à terra, e a fronte bem perto das estrelas. Um progresso físico e um progresso espiritual.

Na verdade, onde começa o Oriente? – O professor Tucci disse-me: "Em Nápoles..."

Mas os debates continuam: o Ocidente quer saber mais; o Ocidente ainda não entendeu bem a técnica da não violência, do sacrifício, do amor, e da alma sozinha diante de um exército... (Este Ocidente perplexo!)

Rio de Janeiro, *Diário de Notícias*, 24 de janeiro de 1954

Pequena voz

Que posso eu dizer aqui, diante destes senhores ilustres, que conhecem tanto mundo, tanta vida, que sabem como são as manobras da política, nacional ou internacional, que ainda têm nos olhos e nos ouvidos – e na alma, principalmente – bombardeios, campos de concentração, exílios, fugas, loucuras...?

Visto daqui, o Brasil não é mais que um vago desenho no mapa, – embora alguns dos presentes já o tenham visitado rapidamente. Tênues lembranças do Rio e de São Paulo. Amplos horizontes. Imigrantes. Riquezas naturais. Tudo muito longe. Como sonhado.

Dentro dessa recordação da paisagem, a criatura humana é pura ausência: quem somos, o que pensamos, o que sentimos, o que valemos, – nada disso alcança esta distância. Existe o Japão – vizinho próximo; existem o Egito e o Irã, Oriente Médio; existem a Alemanha, a Itália, a França, a Inglaterra, essas poderosas representações da Europa, tanto em assuntos de cultura como em experiências de guerra. E os Estados Unidos, que de qualquer ponto avistam. E eis que o Brasil aqui sou eu, com certa melancolia do que sei e do que não sei, as esperanças um pouco fatigadas, esta humildade de quem não se ilude.

Não serei bem o Brasil, uma vez que todos estamos presentes como convidados nominais, sem representação dos nossos países de origem, pensando apenas com a nossa cabeça, e falando apenas pela nossa boca. Mas é nestes momentos que se sente a aliança do coração com a terra, e a dor da pátria, esse tumulto de recordações, com misérias e grandezas, lutas, homens, leis, vitórias e derrotas...

Que pode dizer aqui uma brasileira, diante destes senhores ilustres e experimentados, sobre coisas tão sutis como o bom entendimento dos homens, na órbita nacional como na internacional? Que sabemos nós de tudo isso? Que somos, quando observados de uma altura universal?

Somos, de perto, um imenso território, como este da Índia, com as mesmas cores na paisagem, esta exalação de nascimento, de princípio, de pureza original. A majestade natural da terra primitiva, com sua vegetação poderosa e maternal: esse contorno de mangueiras e cajueiros, a altitude cheia de silêncio dos palmares; os canaviais, as bananeiras, – orla da nossa infância; o cheiro de flor e de fruta que vem na poeira; o mato onde talvez alguma serpente deslize; o rio que transporta sua solidão, o casario pobre, com sua vida abraçada e suave; o trabalho humilde, à sombra de Deus; os caminhos crepusculares, com o gado que pasce, os carros que regressam; a pequena luz mortiça das habitações onde já se espera o sono. Este sossego de pastoral, este comovente existir transferem-me, a todo instante, para lugares brasileiros que não são as grandes cidades contaminadas de cosmopolitismo, – mas o recesso do país, ainda não devastado por enredos humanos, artifícios mecânicos, competições tanto mais ruidosas quanto mais ocas... Ah! um Brasil que eu mesma já não sei se é real ou imaginado, mas que esteve a ponto de existir, que se podia ter desenvolvido num desabrochar natural de todos os seus poderes e pendores, sem deformações, extravios, embustes...

Será essa, talvez a minha pena, a ternura com que às vezes me surpreendo diante da Índia, num temor quase filial pelo seu futuro. Uma pergunta a abraçá--la: "Que vão fazer de ti?" Como quem ao Brasil já perguntou longamente: "E de ti, que fizeram? que fizeram?" – e como resposta só teve a sua própria mágoa.

Aqui, no entanto, uma esperança perdura: um chefe espiritual, embora morto, continua presente, e seus conselhos e palavras são estudados, aprendidos, discutidos, como um outro evangelho. Não é ele que nos reúne em torno desta mesa, para que também pensemos em voz alta, e juntemos ao seu o nosso depoimento para a felicidade do mundo?

Ora, este chefe – todos o sabemos – não inventou nada – provou, apenas, que se pode viver, praticar o código moral de todos os povos, – código que jaz esquecido, abandonado, desprezado sob a desordem do século, feita de paixões desencadeadas e irresistíveis seduções.

Não ter medo. Não fazer mal. Amar a verdade. Vivê-la. Dispersar o supérfluo. Prezar a castidade. Não pactuar com a violência... – relembro pontos esparsos na obra imensa de Gandhi.

Depois de cerca de trinta anos de trabalho, na formação de um povo dolorido de opressão, é certo que esse chefe espiritual foi assassinado; mas é certo, também, que seu povo alcançou a independência. Alcançando-a, passou a girar com os outros povos, na órbita internacional. Suas virtudes, herdadas de longas tradições severas, e aperfeiçoadas por esse exercício de um orientador incansável, como se sustentarão, no contato obrigatório com outros povos?

A Índia de muitas raças, de muitos idiomas e sistemas filosóficos parece-me, de repente, mais homogênea que os povos do Ocidente, com suas mútuas intolerâncias e idiossincrasias, seus resíduos de ódio e vingança, suas ambições de domínio, seus interesses políticos – em bases de mesquinho egoísmo, concreto, imediato, quase mecânico, desumanizado, comercial...

Ocorre-me a presença da máquina. Não só essas imensas, máquinas que tomam o lugar do homem no trabalho, – que não o ajudam, apenas, mas o substituem, completamente; e as que o deformam e o reduzem a um ser de inteligência tão limitada e automática quanto a sua.

Lembro-me de Tagore, quando lhe falavam num trem velocíssimo que vencia quilômetros num abrir e fechar de olhos (ai de nós! que não éramos, sequer, supersônicos!). E o poeta a perguntar, enfastiado: "E que se faz depois, do tempo economizado?" Eis o problema: que se faz?

Penso nos aparelhos de televisão que deixei atrás de mim, além dos oceanos... Ó tristes rostos deformados, ó palavras tortas, ó programas – para divertir? para instruir? – mais tristes que um dia de luto... E as cifras, por detrás.

Penso nas emissoras de rádio, nos estúdios de cinema, – em tudo quanto está convertendo a arte em negócio. Sempre as cifras por detrás da máquina.

Isto são máquinas pequeninas. De aparência inofensiva. Que matam lentamente, matando o livro, matando a cultura – a pretexto de divulgá-la – porque máquina, já por si perigosa, tem atrás de si a perigosíssima cifra. A cifra que se converte no supérfluo. A cifra que dá prestigio. A cifra que engana, mente, corrompe, porque a sua natureza é satânica.

Não, eu não estou pensando em fábricas de tratores, nem de aviões a jato, nem de engenhos de guerra – tão longe não se arriscam as minhas faculdades! Estou refletindo, apenas, sobre os bordados e rendas feitos ponto a ponto por finas mãos destras, esses bordados que levam um pensamento em cada

Crônicas de viagem 2 ✦ 185

flor, um sentimento em cada arabesco (ó rendas que cantaste, Rilke, rendas que têm dentro de si os olhos das rendeiras...) e os horrores que a máquina gera – a máquina imitadora, a máquina falsificadora, a máquina bárbara, grávida de quantidade...

Estou refletindo sobre estas joias, sobre estas madeiras, estas sedas, – sobre este bazar humilde e precioso que de repente pode soçobrar em sucedâneos, e transformar este povo sobrenatural numa destas caricaturas de vida que tenho visto, e que me deixa o coração cheio de lágrimas.

Mas tudo é tão longe! Como vai o Ocidente compreender essa grandeza do despojamento indiano, da sua não violência, da sua moderação – quando a máquina inventou uma velocidade inumana, e já ninguém pode parar para refletir, para estudar, para penetrar séculos, idiomas, filosofias, – se todos querem viver imediatamente, confortavelmente, a serviço do corpo e da hora?

Ponho-me a pensar no que deve ser a sabedoria. E como praticá-la. E tudo é longe, terrivelmente longe: não há convênios, conferências, congressos que transformem o homem de egoísta em generoso, de violento em pacífico, de cruel em manso, de cego em lúcido... O processo de edificação humana é lento, devia ser unânime, constante... Esse processo chama-se Educação.

Como somos cada vez um mundo menor, mais próximo, unido no mesmo destino terreno, devíamos acertar a nossa marcha numa certa direção e com um certo ritmo. Entre a vida e a morte – esse espaço tão curto – devíamos ser melhores do que temos sido e estamos sendo.

Foram essas coisas, pouco mais ou menos, que ousei pensar em voz alta, quando me convidaram a falar entre estes senhores tão ilustres.

Rio de Janeiro, *Diário de Notícias*, 21 de fevereiro de 1954

Onde fala o Japão e onde se vê a Índia

Esta quarta sessão do Seminário de Gandhi principia com a exposição feita pelo professor e pacifista japonês Yusuke Tsurumi.

Desde o início destes trabalhos, a figura do professor japonês se impôs à simpatia de seus colegas, principalmente pela sua extrema cortesia. (Quanto mais observo os diferentes povos, mais me convenço do requinte – muitas vezes incompreendido – das maneiras orientais.)

A exposição do professor Tsurumi não tem nenhuma teatralidade; vai lendo o seu papel com grande atenção e polidez, sem elevar a voz nem contorcer a face. No entanto, sabemos todos o que há por detrás daquelas sóbrias linhas – uma tragédia ultrapassada, mas de consequências evidentes: a ideia de guerra; a crise econômica; a busca de uma orientação espiritual, entre o descrédito dos antigos valores e a expectativa de valores novos ainda não aparecidos.

Pois é sobre esse caos que o professor Tsurumi vai mostrar a possibilidade de uma reconstrução nacional e humana, inspirada na obra de Gandhi, principalmente no aspecto dessa obra que, excedendo os limites da Índia, se projeta no campo universal.

Considera as várias fases de Gandhi: o profeta, o economista prático, o político, o professor; e, referindo-se à sua qualidade de homem religioso, acentua a veneração que lhe dedicam os japoneses, orgulhosos de que a Ásia tenha produzido tão grande e heroica figura.

De passagem, observa a distância que vai das ideias à personalidade; pois, enquanto aquelas se dirigem apenas aos intelectuais, a personalidade arrasta multidões de homens comuns. Gandhi não visava apenas aos intelectuais, mas a esses milhões de homens comuns; e sua personalidade ficou sendo um símbolo de verdade, amor, coragem e sabedoria para toda essa gente.

Depois, analisa a melancólica situação de seu país, derrotado na guerra. O desprestígio da velha noção de dignidade japonesa, em servir ao Estado com uma devoção que não media o mais profundo sacrifício pessoal. A Guerra e a Ocupação perturbaram o prestígio do Estado, afetaram a posição do Imperador e de muitas experiências sofridas e passadas, resta um grande vácuo moral. As largas perspectivas da vida entrevistas na obra de Gandhi serviriam de estímulo a esse país tão maltratado pela guerra. E o professor Tsurumi, que, em 1950, percorreu aldeias, fazendas, fábricas e docas de seu país, falando sobre os problemas do novo Japão, propõe-se fazer agora a mesma coisa para apresentar as ideias de Gandhi.

Quanto à ação de Gandhi como economista, refere-se o professor japonês a vários dos seus aspectos, entre os quais o movimento de regeneração das aldeias. Recorda então a figura de Santock Nino Mea, que viveu no Japão há coisa de um século e tanto, e que é considerado por lá como camponês santo. Por toda parte se encontra a sua estátua, com a forma de um menino de dez anos que carrega uma cabra às costas e lê, ao mesmo tempo, um livro. O camponês santo vinha da pobreza, e tinha de estudar enquanto trabalhava.

Se a habilidade política de Gandhi, no trato dos assuntos mais difíceis, não se pode, talvez, transplantar, – dado o seu caráter pessoal, – sua influência, como professor ou inspirador, é evidente e, como a de Sócrates e Confúcio, ajudou a mocidade que o cercava a revelar o melhor que tinha em si.

Quanto à sua coragem na técnica da não violência, o professor Tsurumi não sabe como o Japão a poderá aproveitar – embora, no momento, se encontre desarmado militar e economicamente. Poucos japoneses – diz ele – atingiram a altitude espiritual de Gandhi, e o povo não tem a herança e a tradição do ideal por ele seguido, para enfrentar uma guerra sem o recurso das armas. No entanto, o professor Tsurumi sente que o Japão necessita de um novo ensinamento,

188 ✦ Cecília Meireles

um novo evangelho, para enfrentar também a nova situação que se lhe apresenta: a falta do poder de proteção e a iminência de perigo em suas fronteiras.

Sua exposição termina incertamente, como a refletir aquela incerteza atual da vida do seu país. Termina interrogativamente: não poderiam as nações do Bloco Oriental e as do Bloco Ocidental unir sua força moral em alguma forma concreta, a fim de resistirem ao desabamento de uma outra guerra mundial?

Esse fantasma da guerra desliza constantemente neste Seminário, com a mesma insinuação, vaga mas pertinaz, com que o senti, ainda no ano passado, em diferentes lugares da Europa, e agora, nesta viagem, no pensamento de pessoas que por acaso tenho encontrado. Para quem vem do Brasil, um fantasma assim parece extremamente impalpável; mas, entre os que foram duramente feridos pela guerra, os que tiveram seus países devastados, seus parentes aniquilados de mil formas atrozes nos campos de concentração – mais do que nos campos de batalha, – o fantasma adquire tal densidade que sua presença, próxima e terrível, sobressalta.

Na Índia, salvo quando algum estrangeiro fala nele – como agora o professor Tsurumi, – o fantasma anda tão diluído que mal vem, logo desaparece. Tão plácido é o povo, quer na humildade dos pobres, quer na altivez dos ricos; tão serena e maternal é a terra; tudo é tão vasto, infinito no espaço e no tempo; e a palavra de Gandhi soa com tanta energia ao longo destes caminhos que não posso imaginar a Índia armada, embora já me tenham dito que há lá pelo nordeste um lugar que produz o mais formidável soldado do mundo...

Enquanto eu estava pensando essas coisas, o egípcio dr. Mohamed Hussein Haekal, que hoje dirige os trabalhos, abriu os debates sobre a exposição do professor Tsurumi. E a palavra foi dada ao dr. Sarvepalli Radhakrishnan, vice-presidente da Índia, grande professor e filósofo, autor de numerosos trabalhos sobre Filosofia, Religião, Educação e Política.

Não sei se muitas pessoas no Brasil já leram alguma de suas obras. Não sei quantas conhecem ao menos de retrato ou de nome. Esta é a primeira vez que ele aparece na reunião do Seminário – e sua figura é absolutamente inesquecível.

Servapalli Radhakrishnan nasceu em 1888 – mas não tem nenhuma aparência de senectude: sua expressiva cabeça traduz ao mesmo tempo uma concentrada força de pensamento e uma saudável e espiritual alegria. Como em Gandhi se via o apóstolo, como em Nehru se vê o artista, em Radhakrishnan se vê o sábio.

E o sábio aparece-nos aqui de um modo quase mitológico, semienvolto em nuvens – pois é como nuvem branca a sua roupa, e é principalmente nuvem branca o seu enorme turbante, com uma forma que eu ainda não tinha visto, neste país onde os turbantes passam a repassam diante dos meus olhos noite e dia.

Aos que nunca leram Radhakrishnan, diria daqui: "Lede-o!", porque não me será possível, de tão longe, expor e comentar suas ideias. Mas o que me entristece é que mesmo os que o venham a ler não o possam ouvir, como hoje o ouvimos. Porque a sua figura, a sua voz, a sua linguagem e o seu pensamento formam uma unidade admirável. É o tipo mais perfeito que até hoje encontrei do grande orador, do grande professor. Sua palavra disciplinada parece nascida para pôr em equilíbrio todas as coisas que alcança. E o que ela vai alcançando é cada vez mais longe do domínio físico, mais além do concreto, como os pássaros quando sobem os degraus do ser. Sem complicações. Sem esforço. Nenhum fogo de artifício. Beleza, apenas.

Não sei se os demais ouvintes sentem a mesma coisa; mas enquanto Radhakrishnan fala, pergunto a mim mesma: "Onde foi que já vi esta criatura? Quando foi que a ouvi?" E estou certa de que, se em lugar de inglês falasse sânscrito, seria capaz de adivinhar o que estava dizendo.

Rio de Janeiro, *Diário de Notícias*, 31 de março de 1954

Um grande discurso

Enquanto falava o vice-presidente da Índia, uma voz murmurava dentro de mim: "Felizes os povos governados por sábios!" E, sem perder de vista a Índia de Gandhi, recordava o antiquíssimo pensamento de Confúcio. (Aliás, este congresso me faz pensar, todos os dias, em dois mil anos estragados pela Humanidade, depois de Cristo, Confúcio e Buda. E tudo me parece uma volta ao princípio. Uma correção de erros.)

O vice-presidente Radhakrishnan, partindo do discurso do professor Tsurumi, analisava a posição de Gandhi, em relação à Índia e ao mundo. Mostrava a distância que existe, geralmente, entre o que dizemos e o que somos: os hindus falam de intrepidez e amor; os budistas, de sabedoria e amor ou compaixão; os cristãos, de verdade e liberdade; os muçulmanos, de um só Deus e uma só família terrena, – mas o que distingue uma natureza como a de Gandhi – acentuava – é a seriedade de viver esses princípios. "Nós falamos deles. Conhecemo-los. Mas as nossas obras não correspondem a esse conhecimento." Para Gandhi, Deus era a Verdade, a Verdade que se pode atingir por uma busca incessante. Quando tinha alguma coisa a resolver, pensava, interrogava-o, jejuava, rezava, e só então se decidia.

Crônicas de viagem 2 ✦ 191

Quanto à sua política de não violência, era uma política para o mundo inteiro, não apenas para o seu país. Seu nacionalismo era uma lição para o internacionalismo. Queria obter a independência por métodos límpidos, sem deixar atrás de si amargura nenhuma. E assim foi. Queria deixar claro que, apesar de todas as diferenças, continuamos irmãos. Precisamos julgá-los como nos julgamos a nós mesmos, – não com diferente medida.

Radhakrishnan reporta-se às antigas escrituras, onde se lê que os anjos e os demônios provêm do mesmo Criador. Em Deus está o seu último elo. A atitude de Gandhi era de compreensão, de humildade. Essa atitude obrigava-o a sentir que as outras religiões eram tão válidas quanto a sua. A crença de que uma religião pudesse ser suprema e a declaração de um monopólio exclusivo da verdade pareciam-lhe uma espécie de orgulho espiritual. Não é a verdade a essência de todas as religiões? E dentro desse espírito de compreensão e amor foi que a liberdade religiosa ficou estabelecida na Constituição da Índia.

Comentando uma observação do professor japonês sobre o comunismo – "produto de um vácuo criado pela ausência de valores éticos e morais da vida" – Radhakrishnan pondera que o comunismo é a réplica à maneira artificial, grosseira e desonesta por que são praticadas as religiões. Fala-se de pureza de pensamento e praticam-se tantas coisas contra a ética, o espírito e a humanidade! Por essas deficiências, a religião tem sido criticada nos planos da Ciência e da Ética. O ateísmo militante resulta da religião mal praticada. Se fôssemos verdadeiramente capazes de pôr em prática o Amor e a Verdade que as religiões pregam, evitaríamos tal situação; mas a nossa conduta demonstra a nossa ausência de fé em Deus; enquanto as nossas crenças proclamam tal fé. Tornamo-nos praticamente ateus; por isso, os comunistas tomaram a dianteira, dizendo: "Abandonemos a falsa crença em Deus, e edifiquemos uma espécie de sociedade humanística".

Todo o discurso de Radhakrishnan é como esses céus rasgados de luz dos grandes quadros de Ascensão. Cada palavra, cada frase tem o seu valor justo. Ninguém poderia fazer melhor resumo do mundo, de suas ansiedades, de seus problemas e de seus remédios como este sábio professor, – tanto é verdade ser a Sabedoria um clarão que penetra os mais difíceis recantos do mundo e da alma, e revela com simplicidade todas as coisas, explicando-as sem partidarismo, apenas conforme a sua natureza.

Se estamos rodeados de incerteza, medo e confusão, diz Radhakrishnan, é por não termos finalidades claras, bem definidas. Não temos dado ao espírito alguma coisa que lhe satisfaça a ânsia de verdade e alguma coisa capaz de criar a fraternidade universal. Estamos cercados de falsas seduções. Devíamos encarar mais seriamente a religião e ser mais fiéis com a humanidade. Sente-se a falta de um sentido de humanidade comum, de fraternidade, de identidade humana.

Por amor a essa lealdade humana Radhakrishnan insiste na grandeza de se ser humilde; de se considerar a situação dos outros povos pelo mesmo prisma por que se considera a situação nacional; de se acreditar que não há só erros alheios, – mas também próprios; e de se procurar acertar pela fraternidade universal, pelo respeito mútuo, – tanto dos indivíduos como das nações – sem usar dois métodos de crítica, mas um só, e o mesmo, para nós e para os nossos opositores.

Lentamente chegaremos a essas conquistas morais; – é o que todos estamos sentindo. E voltam-se os meus pensamentos para os campos da Educação, um pouco desencontrados, por toda parte, justamente porque o mundo está em pleno caos.

A reunião continua, – pesa-se a grandeza de Gandhi como nacionalista ou internacionalista; fala-se da limitação da riqueza e da pobreza; nem muita fome nem excesso de alimentação (torno a pensar no "caminho médio" de Confúcio); nem cidades superlotadas, com pessoas indiferentes umas às outras, nem aldeias mínimas, em que todas as vidas ficam extremamente entrelaçadas; alguém fala da Verdade que, nos termos de Gandhi, não é para ser analisada nem discutida, – mas praticada; e *Lord* Boyd Orr, com a pupila acesa sob a floresta branca das sobrancelhas, avisa que não há filosofia nem ética para um estômago vazio, e que um homem não é livre, se depende de outro para ter o seu pão.

(Insisto em crer que a Humanidade está com um atraso de dois mil anos. Tudo quanto havia para ser ensinado foi ensinado. Cada um aprendeu o que pôde, sem contar os que não puderam ou não quiseram aprender nada. E o resultado é termos de aprender de novo.)

P.S.: Nem sempre o que sai publicado corresponde exatamente ao que se escreveu: e o erro tipográfico é de natureza muito especial, pois quanto mais se corrige, mais errado fica. Por precaução, deixei de corrigir o "patriota" que outro dia apareceu num destes artigos, quando o que tinha escrito era "patriarca", a respeito do presidente Rajendra Prasad.

Mas, no último artigo, houve dois lapsos que desejo ressalvar: onde se lê: "que posso imaginar a Índia armada", deve-se ler: "que não posso imaginar" etc.;

e onde, a respeito do discurso de Radhakrishnan, se lê: "Leveza, apenas", estava escrito: "Beleza, apenas".

Deixo de corrigir alguns plurais, alguns sinais de pontuação e até uma gralha numa indicação geográfica, não só por acreditar na inteligência do leitor como pelo receio de provocar mais confusão.

Rio de Janeiro, *Diário de Notícias*, 4 de abril de 1954

Índia florida

O azul compacto do céu figura uma joia na testa do dia. O dia está vestido de verde cintilante, um verde sem poeira, metálico, brunido, de árvores bordadas a seda ou talhadas em esmeraldas transparentes.

A água, tão pura que se percebe só pelo brilho, resguarda seus olhos do sol; seus olhos são aqueles suaves lótus, azuis, violáceos, róseos, alongados em sonhos de imagens muito silenciosas.

As tendas são vermelhas, e destacam-se violentamente sobre o fundo verdejante do jardim. Foram armadas para o serviço do almoço. E uns copeiros de prodigiosas roupas encarnadas, com as insígnias da sua hierarquia em correntes e placas douradas, circulam gravemente, a cabeça envolta em volumosos turbantes, as mãos carregadas de porcelanas que, pela cor, parecem arrancadas ao firmamento, e onde uma estrela de ouro passeia a sua inscrição: "A luz do céu é o meu guia". Venha de onde vier esta clara estrela, as letras que a acompanham possuem uma essência tão indiana como as folhas destas árvores, a areia destes rios, as gemas destas rochas.

Longas mesas se estendem por dois lados: para os vegetarianos e os outros. Grandes travessas com acepipes de muitas cores e o luxo de aromas próprios deste remoto mundo das especiarias; canela, cravo, pimenta, cardamomo, coriandro, açafrão, erva-doce entrecruzam seus perfumes com a nata, o arroz, a manteiga clarificada, legumes que não reconheço, grãos que nunca vi... Há também peixe e galinha com molho e caril – o prato típico da Índia, – conservas de gengibre, de manga verde, súbitas presenças de tamarindo e coco – ah, meu Deus, como no Brasil das crianças do meu tempo...

Os convivas escolhem bolinhos, almôndegas, descobrem combinações inesperadas; ensinam uns aos outros segredos desta culinária; comparam este prato com outros, do Extremo Oriente, do Oriente Médio, da Europa... – ai de mim, senhores, que lá na minha terra também se come tudo isto, apenas de outra maneira, – porque da Índia ao Brasil, nas velhas naus, era uma viagem comprida, e a memória dos cozinheiros de bordo devia ser fraca, e andar perturbada – como agora, a nossa, – com estes verdes e azuis e encarnados, e este céu e estas flores e esta gente que não parece viva, mas sonhada e sonhante...

Vamos por onde queremos, para estas pequenas mesas espalhadas pelo jardim, e aqui não há incompatibilidade nenhuma entre comer e ser poeta: os doces cristalizados têm o mesmo aspecto das pedras preciosas, e há tênues folhas de prata estendidas sobre certas iguarias, e que se comem também, como se faz com o véu de canela em pó espalhado sobre os cremes.

Neste esplêndido almoço festivo, não há bebidas alcoólicas, mas altos copos de refrescos, com talhadas e gomos de frutas amarelas e vermelhas suspensos no cristal como peixes em aquários. E o sol a atravessar esse mundo fabuloso de cores e cintilações; o sol a mostrar a transparência da crista pregueada dos turbantes; a agarrar-se à placa dourada no peito do copeiro; a pousar pinceladas claras na pele morena das beldades indianas; a liquefazer-lhes os grandes olhos meigos; a escorrer pelas barras de ouro e prata dos sáris de mil matizes delicados que resumem, na textura da seda, todas as invenções da primavera.

O almoço termina com frutas confeitadas ou frutas frescas vindas do Cachemir, e que não são peras nem maçãs, mas outra coisa, que se assemelha às duas e é melhor que ambas... Termina com flores: porque os convidados vão passear pelo jardim.

É preciso ver um destes jardins mongóis, para se compreender a exatidão das miniaturas antigas e a sugestão dos tapetes orientais; a água e a terra entrelaçadas desenham rosáceas, estrelas, – de modo que as faixas dos canteiros são o arabesco geométrico a aprisionar os repuchos, esguios e brancos como plumas. Acontece que um raio de sol os atravessa e as plumas transformam-se em diamantes irisados, como os penachos suntuosos dos turbantes.

Para quem caminha por uma destas alamedas, a Etimologia revela de repente seu coração poético: aprende-se aqui a relação que existe entre Jardim e Paraíso – é esta doçura da terra obediente ao desenho, ao mesmo tempo conciso e prolixo, que a submete a composições caleidoscópicas; é a distribuição das plantas, formando manchas de cor que de longe seduzem pelo conjunto, antes de nos extasiarem de perto com a revelação de cada corola, de cada pétala, de cada perfume; é a mansidão do arroio prisioneiro que apenas levanta o suspiro do repuxo, tão leve, e logo morre no ar, absorvido pelo vento, evaporado na luz; são os pássaros que chegam de repente, contemplam e partem; são os muros por onde resvalam trepadeiras brancas, amarelas, encarnadas, ramais de coral em colos verdes de folhagem; é a harmonia que vem de tudo isso como a frescura vem da brisa, e o azul, do céu, e a luz, do sol.

Quando nos levantamos da mesa, ofereceram-nos, em caixas de prata, estas coisas que aqui se mascam depois das refeições: a folha verde que enrola o bétel, sementes de cardamomo, coco ralado, erva-doce... Caminhamos, assim, como quem vai mordendo a haste do dia, e a hora tem um gosto vegetal, doce ainda, de alegria, mas que sentimos tornar-se em acre saudade futura.

No fim destas alamedas, o jardim se arredonda, abraçando a água represada. As flores elevam-se em toda a volta, formando um policromo anfiteatro. Param todos os passos, e os olhos perdem-se nesta moldura delicada, feita de beleza momentânea, que brilha apenas um dia, mas nesse dia consola o copioso tempo da existência humana.

Quem se sentar aqui, em solidão, ouvirá, certamente, as flores conversarem; e que lições recolherá, do mundo vegetal, para os desvairados alunos humanos? Aceitação: consente em estar cativo na terra. Sonho: há luz, sol, estrelas, – porém muito longe. Bondade: teu doce mel é para as abelhas (que ferem). Disciplina: quando a Primavera ordena, vem-se, – não importa para quê. Humildade: que nome temos? Ignoramos. Renúncia: quando o vento quiser, leva-nos. Constância: em qualquer solidão, o mesmo perfume. Coragem: as primaveras se sucedem, embora com outras flores. Esperança: a eternidade não está na corola, mas na semente.

Flor: *phul, pul, pu* – aqui estamos contemplando como poetas e naturalistas esta maravilha recortada em seda viva, denticulada, franzida, polvilhada de matizes cambiantes, enfeitada de pingentes mais luminosos que pérolas, mais finos que um raio de lua... Flor: mas como é o seu nome particular? Não sabemos. Nem ela... Modéstia: ouvimos falar da nossa beleza, e nunca chegamos a saber de que se tratava...

De volta, por aquelas alamedas, recordávamos desenhos de tapetes: concentrações de céu azul; simetria de águas e plantas; luz e sombra plasmadas na obscura trama; a figura do jardim guardada para sempre no pano que se vai levantando no tear.

E depois imaginávamos a noite, com a luz em cada rosácea d'água. E o amanhecer com o céu cor-de-rosa e o *bulbul* debulhando seu gorjeio como romã partida no ar.

E caminhávamos... E víamos, na manhã pura, as mãos dos jardineiros, essas morenas mãos, da mesma cor da terra, caminharem pelas hastes e folhas verdes, com levezas de borboleta, silenciosas, inteligentes e impessoais – como vindas de dentro da terra para completarem apenas aquele serviço das flores, e logo desaparecerem, obscuras e admiráveis, quando a luz do dia cobre de glória a sua criação.

Rio de Janeiro, *Diário de Notícias*, 18 de abril de 1954

São belos, estes dias...

São belos, estes dias de Nova Delhi, não apenas pelas cores do céu e da terra, tão límpidas e brilhantes; não apenas por quanto já descrevi destas ruas, destas casas escondidas em jardins verdes, destes palácios, destas festas, que se sucedem nas várias Embaixadas, em homenagem aos congressistas; – mas pelo próprio congresso que, um depois do outro, vai apresentando os diferentes pontos de vista dos que o integram em relação às ideias de Gandhi e à consolidação da paz no mundo.

O representante do Irã, dr. Matine Daftari, ao iniciar hoje a sua alocução, relembrou a semelhança entre os ensinamentos de Gandhi e os de alguns poetas persas – Firdusi, Saadi, Hafiz, Orfi e Gazzali. Citou mesmo um trecho de Saadi, no original, o que é ao mesmo tempo, para um ouvido ocidental, maravilhoso e rebarbativo:

Bani Adam Aazaye Yek-Deagarand...

É um parágrafo sobre a solidariedade humana, e diz, pouco mais ou menos, o seguinte: "Os homens estão todos ligados, no passado e no futuro, como membros de um mesmo corpo. Quando uma parte do corpo padece, o resto não pode ter sossego. Tu, que não te preocupas com as tristezas e desgraças dos homens, não mereces ser chamado humano."

(É preciso vir ao Oriente para se ver a importância atribuída às palavras dos poetas. É bem verdade que estes poetas do Oriente, quer os antigos, quer os de hoje, estão sempre com os olhos muito acima dos temas que dão renome à maior parte dos seus colegas ocidentais. Aqui, o poeta é, verdadeiramente, uma criatura de eleição, um inspirado, um mensageiro de avisos sobre-humanos. Neste mundo, banhado de filosofia e misticismo, não há lugar para a pequena confidência do poeta do Ocidente, com problemas sentimentais, que aqui se despoja de toda a sua amargura, como quem de repente perdesse o peso, e se encontrasse a levitar, magicamente.)

O orador faz todo o seu exórdio com citações poéticas. A respeito de Fé e Heresia: "O sonho é o mesmo: a interpretação varia". Sobre diferenças de culto: "O amor penetra tudo: abraça igualmente a mesquita e a igreja".

Passa depois a considerar as palavras de Maulana Abul Kalam Azad, em que o ministro da Educação da Índia, por ocasião da abertura deste congresso, se referiu às origens da Segunda Guerra, dizendo que "a assinatura do Tratado de Versalhes foi o instante do nascimento de Hitler..." E, depois de um rápido estudo da posição das Nações Unidas, em relação às necessidades atuais do mundo, e de uma alusão à frase de Attlee – que justamente acaba de passar por aqui –, "o imperialismo está em vias de dissolução e liquidação", recorda os quatro pontos citados por *Lord* Boyd Orr como dignos de consideração para a tentativa de se aplicar a doutrina de Gandhi ao mundo contemporâneo. (Esses quatro fatores são: o avanço da ciência que pode eliminar a fome e a doença ou aniquilar a humanidade; a concentração do poder nas mãos de uma pequena minoria; a transformação do mundo, em virtude dessa concentração, em dois únicos campos; finalmente, como fator favorável, o grande desenvolvimento da consciência ética das massas, principalmente como um resultado do progresso da educação.)

Em seguida, a alocução toma um caminho mais positivo, procurando situar os problemas atuais do mundo, como o nacionalismo, "reação contra o imperialismo", – que não deve, no entanto, exceder-se em ultranacionalismo, para não trazer outras complicações ao equilíbrio internacional, – o isolacionismo, a exploração... – e a guerra, esse monstro que não respeita leis nem moral... (Ao longe, o padre Vieira declamava: "que se sustenta das fazendas, do sangue, das vidas, e quanto mais come e consome, tanto menos se farta".)

Como a alocução do dr. Daftari insinuava, ou parecia insinuar, a certa altura, que as Nações Unidas tinham fraquezas comparáveis às da antiga Liga das Nações, o Prêmio Nobel, dr. Ralph Bunche, tomou a palavra para um longo esclarecimento de defesa daquela entidade; a réplica do delegado iraniano iluminou os pontos por acaso obscuros, da sua alocução, – mas logo o secretário Kabir desejou esclarecer também que, na resistência às guerras, seria mau que se associassem países do Oriente e países do Ocidente, de modo a formarem dois blocos separados. Não era isso, porém, que o delegado iraniano sugeria. Ele sugeria que as Nações Unidas tivessem um âmbito universal. Que incluísse todos os países.

Acharya Kripalani faz uma pequena observação maliciosa sobre os atuais pontos de vista de Attlee, comparando-os aos do tempo da dominação inglesa na Índia.

E é por isso que eu digo que são belos estes dias de Nova Delhi, tanto lá fora, com o frio sol dourado fluindo do céu azul sobre as inumeráveis flores, como aqui nesta sala do Parlamento, onde todos nos esforçamos por pensar da maneira mais certa, mais benéfica, mais generosa, procurando encontrar todos juntos o caminho que conduzirá os homens à felicidade ou pelo menos à paz. ("Tu, que não te preocupas com a tristeza e a desgraça dos homens, não mereces ser chamado humano" – disse o poeta persa, pela boca de Matine Daftari.)

No intervalo das sessões, os funcionários encarregados de servir chá e café deslizam em redor da mesa, graves, nos seus altos e largos turbantes, carregando nas mãos enormes bandejas. Há uma pausa nos trabalhos. É então que se aproximam da mesa as pessoas que assistem a estas reuniões, como simples observadores. Oferecem-nos seus livros; convidando-nos a visitar seus *ashrams*, em diferentes lugares da Índia. Tudo é tão simples, tão familiar, que é como se nos conhecêssemos desde sempre e para sempre nos tivéssemos encontrado. (A saudade que eu vou ter destes lugares e destas pessoas tem suas raízes nessa intimidade imediata com que os problemas da Índia me alcançam. E na maneira por que me comovem.)

Ora, o delegado egípcio está fazendo uma apresentação de pontos de vista rápida, simples, eficiente. Aliás, há na sua fisionomia esses traços que, na arquitetura como na escultura tradicional do Egito, denunciam um temperamento científico, um meio matemático de ser, uma sobriedade lógica. Diz não acreditar numa terceira guerra, apesar de tantos prognósticos; se agora sobreviesse uma guerra, seria a aniquilação da humanidade; precisamos, pois, ter uma nova filosofia, uma nova ideia do mundo, que está ficando cada vez menor e mais próximo, graças aos diferentes instrumentos de intercomunicação.

As Nações Unidas constituem a maior organização capaz de nos ajudar na realização de uma obra universal de amor e de paz. Qualquer povo deveria ser membro das Nações Unidas, por simples solicitação. Só assim as Nações serão realmente Unidas. E nessa ocasião poderemos fazer alguma coisa pela melhoria da vida humana.

Não tenho tempo para anotar grande parte dos debates de hoje; mas, antes de passar a palavra ao delegado alemão, o conhecido pacifista pastor Martin Niemoller, *Lord* Boyd Orr faz uma pequena alocução, comentando as ideias dos oradores precedentes, e traça como um panorama futuro: quando os povos mais poderosos da terra, diante da não violência das nações pacíficas, decidirem abolir as armas, porque "a guerra está morta". (*Lord* Boyd Orr não diz isso com retórica, embora todo o discurso, e a frase final, principalmente, tenham suficiente ênfase para um grande gesto e um diapasão mais alto. Não; diz isso a conversar, discretamente, sem ostentação. Pudesse a profecia cumprir-se!)

O pastor Niemoller tem um exórdio simpático: pertence a um povo que sofreu muito com a violência, mas que não tem direito a queixar-se, porque fez sofrer os seus vizinhos com uma violência inaudita. É a sua experiência que ele traz como contribuição a este congresso. Fala da sede de paz, da desmoralização da guerra e de sua turbulência, da desmoralização, também, do poder, entendido como "uso potencial da força". O mundo é cada vez menor, temos de melhorar o nosso convívio, as Nações Unidas devem ser a nossa esperança, como autoridade que impeça o uso da violência, mesmo quando se trate de punir.

Depois de examinar vários pontos do problema violência-força-poder, o pastor Niemoller mostra como o chamado "mundo cristão" tem seguido tão de longe as pegadas de Cristo. Aos seus olhos, não é Gandhi senão uma expressão de Deus chamando os cristãos ao arrependimento e a uma nova devoção.

Disse muitas outras coisas. E todos o ouvíamos com profundo interesse. Falava uma Alemanha pacifista.

Rio de Janeiro, *Diário de Notícias*, 1º de maio de 1954

Interlúdio

Os dias prosseguem, ricos de debates e sugestões, e nós somos um grupo de pessoas de boa vontade, desejosas de encontrar a fórmula capaz de tornar o mundo inteiro feliz.

Entre uma sessão e outra, do Seminário, aparece-me Mustafá. Mustafá pretende vender-me um tapete. E eu estou exatamente na situação do príncipe Ali, quando partiu com seus irmãos à procura da maior raridade do mundo.

Pois também eu cheguei à Índia, também eu fui dar nestes longos mercados, onde, de um lado e de outro, se alinham vendedores de telas finas; de estofos pintados e bordados, com pássaros, animais e flores; vasos polidos; bandejas trabalhadas; caixas de madeira esculpidas; xailes de Cachemir, que podem passar por dentro de um anel; colares de ouro e prata, que gorjeiam, com suas mil campainhas minúsculas; objetos de laca e charão; brincos, braceletes, adornos para a risca do cabelo, um do lado de cá, representando o sol, outro do lado de lá, representando a lua; pingentes que se põem por cima das orelhas, outros que caem na testa, entre as sobrancelhas; caixinhas para guardar sinais; bolsas de seda com bordados de ouro; sáris estampados, sáris com ourelas metálicas, sáris dessa gaze de Banaras frisada, transparente e hirta como a asa das libélulas;

coroas de jasmins para o cabelo, fieiras de mil flores para o pescoço e para os braços; pingentes para as tranças; água de rosas; óleo para fazer, ao mesmo tempo, crescer, perfumar e lustrar o cabelo, curar dores de cabeça, aumentar a inteligência, acabar com as insônias e tornar ardentemente amadas as pessoas que o empregam; blusas com rodelinhas de espelho metidas por dentro dos bordados; cambraias de Lucknow todas rendadas de palmas e elefantes; *batiks* de Jaipur, cujos desenhos são feitos com pedrinhas amarradas, antes de serem tingidos, e conservam, depois de prontos, seu relevo na fina, flexível, seda; sandálias de bico recurvo, lavradas a ponto de cadeia, ou com largos desenhos de ouro e flores de lantejoulas; objetos de metal amarelo, com incrustações de esmalte colorido, e curiosos trabalhos de *bidr*, que é uma mistura de metais, negra e fosca, onde desabrocham flores e ornamentos geométricos, em clara prata cintilante...

Também eu desejava, como o príncipe Ali, comprar tudo aquilo, embora as minhas rupias não se pudessem comparar com os seus sacos de ouro oferecidos pelo sultão Nurenahar...

Também eu dizia comigo, esforçando-me por não gritar: "Que país encantador! e que gente maravilhosa!" E Mustafá era como aquele vendedor que apregoava o seu tapete por trinta mil dinares de ouro, – pois, embora o seu preço fosse muito menor, o meu espanto era tão grande quanto o do príncipe.

O tapete de Mustafá não voava, como o que comprou o príncipe. Mas não fazia diferença nenhuma, porque Mustafá e eu voávamos somente com olhar para aquelas cores e aqueles desenhos, no fundo de uma pequena loja sem outro sol nem outro luar nem outras estrelas nem outras flores que os dos velhíssimos motivos presos para sempre naquela grossa trama secular.

As histórias que Mustafá contava para vender um tapete valiam todos os sacos de ouro do príncipe Ali. A idade daqueles tapetes. "*Old piece, Old piece...*" Já não se faz mais nada tão belo, tão perfeito, tão original... O número de barras, todas diferentes, em largura e em motivos ornamentais... A qualidade da seda... As cores: aquele vermelho que não é nem de cravo nem de fúcsia – um vermelho que parece o reino da romã, onde moravam aquelas princesinhas que todos os dias desciam para o jardim, por escadas de seda, e todas as noites se fechavam de novo na sua casa mágica... E os azuis? Os azuis que ora parecem de lápis-lazúli, ora de pena de pavão, conforme a lâmina de luz que de repente os corta... E as claridades e sombras dos jogos amarelos, como se dentro da seda estivessem príncipes inclinados sobre tabuleiros de xadrez? E umas repentinas perspectivas, que não sabemos se são jardins mongóis, tendas no meio do mundo, ou janelas de jaspe em cujas grades de pedra passeiam como luzentes besouros os olhos prisioneiros de belas mulheres escondidas?

Os tapetes de Mustafá eram como páginas de livros ilustrados. Não se podia ver tudo nitidamente, porque estavam carregados de poeira. Muita poeira do espaço e do tempo. Seria preciso deixar correr muita água sobre aquelas cores... Muitos rios – o Indo, a Jâmuna, o Ganges... Então, as cenas iriam ficando cada vez mais claras. Veríamos as figuras se levantarem e caminharem, saírem de dentro das cores, cantarem, dançarem, ressuscitarem, e, livres da morte, conversarem conosco.

O que Mustafá tinha andado, para encontrar aqueles tapetes! Pois já não se encontram muitos assim. É só ver as pontas como estão gastas! As pontas por onde vão escorrer os rios purificadores, deixando cada cor mais suave que uma mosa e mais transparente que uma gema. Aparecerão os elefantes e os rouxinóis; os jardins com jorros d'água; as alcovas de madrepérola; os tambores, as cítaras e as vinas; as bandejas com mangas e carambolas, pêssegos e cajus; os imperadores em seus tronos de mármore; os poetas que perguntarão:

Que morada de esquecimento é esta,
onde não nos lembramos uns dos outros?...

e as longas planícies por onde galopam cavalos amarelos e roxos; e as montanhas cintilantes, e as florestas onde os faquires conversam com as serpentes e o céu com nuvens mensageiras; e os camelos que levantam o perfil, sonhando solidão...

E os sofrimentos de Mustafá por esses caminhos, a perguntar: "Quem tem tapetes antigos, muito antigos, para vender?..." E os rolos de seda e poeira lentamente estendidos aos seus olhos sapientes... Tapetes cheios de passos, com a forma dos pés descalços de tanto sábio, de tanto artista, de tanta beldade... Tapetes cheios de música: ora, prestando-se bem atenção – como quem leva o caramujo ao ouvido – não se ouve aqui nesta macia felpa o som estridente e choroso das cordas, e o ritmo opaco dos tambores e a fluida voz das cantoras, a afrouxar-se em pérolas tristes?

Mustafá leva-me pelas terras áridas, onde os palácios secam ao tempo, como flores de herbário. Aponta-me lugares, escadas, salas. Estou vendo e ouvindo. Atravessamos rios sem água, represas com o esqueleto de pedra à mostra.

Como os coqueiros se inclinam sequiosos, pálidos e graves para os barrancos despedaçados! O vento vai levando as varandas, as colunas, os pórticos.

E Mustafá continua. Continua a procurar tapetes. Por detrás das tamareiras, nasce a manhã de nácar, e a tarde de nácar desfalece. Canta o muezim, soam os címbalos dos templos, os sinos das igrejas; inclinam-se os barretes de astracã, os gorros brancos e pretos, os turbantes de mil cores e mil voltas... – Mustafá não para. Come um punhado de grãos, bebe um jarro de leite, fala árabe, urdu, hindi, hindustani, bengali, tamil, malaiálam – é capaz de falar sânscrito, grego, latim... Passa entre panteras, nagas, macacos, chacais, processões de casamento, fogueiras de mortos, bois de chifres pintados, búfalos mansos como crianças, burrinhos de meio metro de altura, campos de mostarda, cabanas, mercados – Mustafá está comprando tapetes antigos, escolhendo os melhores exemplares, descobrindo o que jaz nessas grandes, sombrias, veludosas páginas...

Sol, chuva, tempestades de areia, noites negras e estreladas, luares, fantasmas, salteadores, Mustafá conhece tudo quanto pode suceder nos caminhos do mundo. Nada tem importância, quando se consegue um tapete como o que pretende vender-me *"Old piece"*. Muito bom. Raríssimo. Único. Não voa, como o do príncipe Ali. Nós é que voamos, sem precisarmos sair do lugar. Conhecemos todos os reinos, todas as dinastias, guerras; festas, amores, traições. Todas as epopeias, todos os comentários filosóficos. O tapete é um resumo da vida.

A trama estava estendida e vazia; como as cordas de uma harpa. Todas as histórias foram sendo amarradas ali, fio por fio, palavra por palavra. Amarradas para sempre. Até o fim do mundo. Para quem souber ouvir. E por muito menos de trinta mil dinares, senhores!

Nem o meu dinheiro se comparava com o do príncipe Ali, nem o seu deslumbramento com o meu. (Só Deus é grande!)

Rio de Janeiro, *Diário de Notícias*, 16 de maio de 1954

Raiz das catástrofes

Quando as catástrofes espalham a ramaria pelo mapa, é que os corações, as opiniões e mesmo os corpos estremecem. Apontam-se nações ou raças, causadoras dos conflitos; discute-se a responsabilidade do potencial bélico; assenta-se a culpa em determinados credos religiosos ou ideias políticas. É como se as catástrofes nascessem grandes de repente; como se as árvores começassem pela fronde.

Então, para remediar os conflitos internacionais, promovem-se congressos e conferências, assinam-se acordos e armistícios, volta-se a falar em desarmamento parcial ou total, em reparações, em novas relações amistosas dos antigos adversários, e julga-se que as divergências estão encerradas, e o mundo, feliz.

Este nosso amargo século, de tão repetidas guerras, é, no entanto, um século mais lúcido que os anteriores, pelas experiências humanas já sofridas. Ao mesmo tempo, é um século vastamente aberto às conquistas da ciência como à reflexão moral, e, nos países de tradição democrática, não há, na verdade, problema que não esteja à disposição dos que tiverem qualidade para o esmiuçar.

Examinando-se, pois, sem preconceitos, e com respeitoso equilíbrio, as catástrofes que vêm devastando a humanidade, somos conduzidos à verificação de que elas não podem ser exterminadas pela rama, simplesmente com discursos ou tratados, por melhores que sejam as intenções, – e sugestivas, as palavras, – e prestigiosas, as pessoas que as empregam. Tudo isso está ultrapassado.

Evidentemente, é necessário que as palavras expliquem as tensões internacionais, mas não se deve esperar que as resolvam, apesar da magia que se lhes atribui. Essa magia deve ter uma ação de profundidade, conduzindo às causas das tensões. Daí por diante, são os fatos que resolvem, – é o domínio da ação. Ação que varia conforme as causas a atender.

Por isso, os participantes do Seminário de Gandhi, ao examinarem as tensões internacionais, foram favoráveis à ideia de que todas as nações pacíficas fizessem uma redução, pelo menos simbólica, de seus armamentos, e decidissem de comum acordo nunca mais tomar a iniciativa de uma guerra total, e pegar em armas apenas para se defenderem em caso de agressão. Mas não afirmaram que as guerras sejam o resultado do simples poderio militar dos povos. Afinal, as armas não se constroem nem se acumulam nem se repartem nem funcionam sozinhas. Elas são pobres instrumentos da violência humana. A violência, portanto, é que precisa ser suprimida, pois na sua estrutura se sustentam as catástrofes, com sucessivos choques e entrechoques.

Mas também não se pode dizer simplesmente à Violência: "Termina!", e esperar que ela, que se chama Violência, fique de súbito dócil e obedeça. Porque a Violência já é uma explosão de mil causas. Em cada criatura humana há mil aspectos possíveis de violência: frustrações físicas, materiais, sociais, morais, intelectuais, políticas... Essa confusa unidade humana é que constitui os povos e as nações. E os povos e as nações tanto mais tumultuosos serão quanto mais caóticos e violentos forem os elementos que os compõem.

Por isso, os participantes do Seminário de Gandhi consideraram que uma das medidas para extinguir as tensões internacionais seria a da elevação do nível de vida da população, nas regiões menos desenvolvidas, bem como a extinção do espírito de exclusivismo racial e o sentimento de superioridade racial, que constituem obstáculos à liberdade de movimento das populações. Como ação imediata, deveriam ser tomadas medidas para uma distribuição mais equitativa da população mundial, em função dos recursos disponíveis, organizando-se a emigração das populações excedentes para as regiões do mundo que as possam receber. (Não deixou de ser observado que essa prática fosse estudada com precaução, a fim de evitar novos problemas, por intensificação da concorrência entre países industrializados ou possíveis conflitos entre os imigrantes e a população local.)

No entanto, como os problemas de natureza econômica tendem sempre a tomar um aspecto contrastante, quer entre os indivíduos, quer entre os povos, e logo se defrontam ricos e pobres, e os que ajudam e os que são ajudados, – concluiu-se que um organismo central devia ser encarregado dessa assistência, organismo esse que é, evidentemente, a ONU, na sua qualidade de encarregada da manutenção da paz mundial.

Mas, para que a ONU possa exercer essa atividade centralizadora, será preciso que represente o mundo inteiro, como uma grande família. Só assim terá ela prestígio e possibilidades de ação eficiente.

Por isso, os participantes do Seminário de Gandhi entenderam que deviam ser admitidos na ONU todos os países que o desejassem e que subscrevessem a Carta; o que permitiria ao mesmo tempo aproximar o mundo em suas ideias e problemas, para a necessária solução ou orientação.

Ora, isso vem a ser um apelo aos povos para a compreensão de sua humanidade, de seu convívio na terra, e das vantagens para que esse convívio seja, tanto quando possível, amável, próspero, humano. (*Humano*, – isto é, mais do que simplesmente zoológico, como se está tornando.) A exiguidade da vida na terra devia dar-nos o sentimento profundo da nossa pequenez, e o desejo de empregar esse prazo da maneira mais nobre. Devíamos ter, ao mesmo tempo, a visão bem nítida de pertencermos à mesma família terrena, – com as diferenças de toda espécie que caracterizam mas não separam, os irmãos.

Se conhecermos e acalmarmos as nossas violências, se tivermos consciência de nossos direitos e deveres, e se os respeitarmos nos outros, deixaremos de ser agressivos, não pretenderemos mais impor a nossa vontade aos demais, teremos a modéstia de admitir que os outros também têm razão, – ou razões – e poderemos viver mesmo entre os maus, modificando-os talvez mais facilmente com a nossa brandura e a nossa resistência desarmada que por uma retribuição agressiva ou qualquer forma brutal de intolerância.

Por isso, os participantes do Seminário de Gandhi concordaram em que as tensões entre os países resultam das tensões internas, e estas resultam das tensões entre indivíduos, por incompatibilidades oriundas de divergências políticas, desigualdades econômicas e preconceitos religiosos ou raciais.

Em suma, se o homem se educar, ou for educado, para viver humanamente, não haverá mais na terra esses conflitos monstruosos, essa pavorosa chacina que já não se compreende na segunda metade de um século nutrido de tanta ciência e talvez, por isso, desorientado nos fundamentos da sabedoria.

Quando os participantes do Seminário de Gandhi concluíam os seus trabalhos, não tinham nenhuma pretensão de estar dizendo a última palavra da Verdade; mas não deixavam de estar humildemente inclinados para a sua Verdade interior, porque nenhum outro intuito os movera nesse encontro, tão longe, na Índia, senão o de ajudarem o mundo com o mais sincero testemunho da sua mais clara, e por vezes bem amarga, experiência.

Éramos dos mais diferentes lugares, e tínhamos visto, com máscaras diversas, as mesmas coisas; diferentes em idioma, em raça e em religião, coincidíamos em princípios morais. Os debates travados, salvo pequenos esclarecimentos circunstanciais, serviram apenas para tornar unânime o nosso testemunho. E o nosso testemunho repousa, principalmente, numa obra comum e imediata de Educação.

A figura de Gandhi não nos foi imposta: impôs-se. Na verdade, não foi ele, neste século, o único herói da Paz, o que renovou no mundo uma doutrina esquecida, ou abandonada, provando-a não apenas com seu espírito, mas com seu corpo, e afirmando-a definitivamente com a própria morte?

Encerra-se um congresso destes, olha-se para o Ocidente e pergunta-se: onde, quando, se repetirá o que se fez aqui, para se insistir, mais uma vez, na vitória do Bem sobre o Mal, numa vitória sem violência, a vitória que o coração e a inteligência pedem, o que não pode tardar mais, porque estamos cobertos de vergonha diante de um mundo coberto de sangue, desmoralizados e cheios de terror? Por muito longe e confuso que esteja o Ocidente, há de alcançá-lo este depoimento de boa-vontade e esta esperança que reuniram os participantes do Seminário de Gandhi em Nova Delhi?

Rio de Janeiro, *Diário de Notícias*, 30 de maio de 1954

Apontamentos

Este grito que corta a noite, lancinante e incansável, é o dos chacais. Rondam pelo fundo dos jardins, parece que fazem grandes estragos. Dizem que estão sendo perseguidos, e paga-se não sei quanto, não pela sua cabeça, mas... pela cauda. (Isto deve ser um eufemismo.) Seja como for, ainda não consegui ver de perto nem o chacal inteiro nem a sua representação parcial. Às vezes, uma sombra rasa atravessa a estrada. Apontam-me: é ele! E é só o tempo de apontar – desapareceu. De modo que chacal, para mim, ficará sendo esta voz, lancinante e incansável, que grita na escuridão.

Há outras músicas mais agradáveis: a dos cortejos de casamento – tambores, flautas, um desenho de alegria a flutuar pelas ruas como um galhardete ou uma grinalda; – a dos pregões dos vendedores: uma dolência lírica tão alongada, tão alongada que nos leva a um Brasil já quase desaparecido, um Brasil como a Índia, com vastas mangueiras, resinosos cajueiros, sombras mansas de estradas calmas, estrelados jasmins por cima das sebes; – essa melodia azul que se ouve ao entardecer, que se ouve na noite profunda, que nunca se localiza, que é um pequeno sopro num pequeno bambu: leve arabesco a desenvolver-se nos ares como uma palavra que se escreve pouco a pouco, um misterioso nome, – de quê? de quem?

***

Houve uma tempestade maravilhosa. Há tanto tempo não tinha notícias de trovões que estes, que rolaram pela noite, me pareciam um relato da antiguidade. Como se não explodissem no ar, mas numa página do "Mahabharata".

O que restou da noite tempestuosa, trêmula de relâmpagos e ondulante de chuva, foram estes grãos de orvalho dentro das rosas matinais. (Aqui, o orvalho chama-se *os*, e a rosa *gulab.)* Olho para a terra úmida, com seus aromas acordados, e penso no tempo das monções, com as águas a descerem pelos campos, a esmaltada folhagem reluzente a enfeitar a paisagem ofuscada pela seca e pelo pó.

***

Usa-se muito, por estes lados, um doce de leite chamado *rass-gula*. Deram-me a seguinte receita: espreme-se um limão nuns três litros de leite a ferver. Passa-se o leite talhado por uma cambraia fina. Deixa-se a massa esfriar, junta-se água de rosas, fazem-se bolas do tamanho de um ovo, mete-se dentro de cada uma um torrão de açúcar, e põem-se a cozinhar em calda, por uns dez minutos, com fogo brando. É muito doce. (Mas parece que açúcar e felicidade guardam certa relação – como na palavra doçura.)

Como eu falava do *rass-gula*, explicaram-me que em Bengala há *o shandesh*, que é também um doce de leite. (A palavra significa "mensagem".) Principia, como o *rass-gula*, com leite talhado (um limão para um litro de leite a ferver), coado e espremido. Junta-se, depois, muito açúcar, e trabalha-se a massa, para torná-la bem lisa. Leva-se ao fogo, mexendo sempre com colher de pau, até ficar completamente seco. Coloca-se em moldes próprios, que têm desenhos no fundo, e nomes especiais, segundo o que representam: – *mach* (peixe), *chakti* (roda), *chandra-pulu* (bolo de lua), e muitos outros. Quem não tem moldes, coloca o doce num prato e enfeita-o com pistache e pétalas de rosa.

Em Bengala, as visitas são recebidas com essa e outras gulodices, acompanhadas de palavras assim: "Por favor, adoce os lábios, antes de nos deixar!" (Ah, estas belas maneiras do Oriente que o Ocidente não entende mais!)

***

Eu estava muito contente com as minhas duzentas palavras de hindi. Mas alguém me disse: "Não se canse tanto: daqui a pouco não lhe servem mais nada! Agora, está contando: *"ek, do, tin, char, panch, chhe, sat..."* – mas, quando chegar às regiões do *tamil*, terá de dizer: *"onru, irandu, munru, nalu, aindu, aru, eru..."* – e, se alcançar as do *malayalam*, passará a: *"onna, rantá, munná, nalá, ancá, ará, erá.."* E se toda a linguagem fossem números cardinais!

Isso não me assusta, como não me assusta o chacal nem a serpente nem a cremação dos cadáveres nem a deusa Durga. Trocar duzentas palavras de um lado por duzentas de outro é mesmo um jogo interessante. E pode ser que não as troque, mas acrescente. A minha pena é que o tempo não dê para tantos jogos. Creio que nesta Índia imensa, repleta dos mais variados estímulos, é onde melhor se pode sentir a melancolia do *"Ars longa, vita brevis"*.

***

Acabo de ler nos jornais que hoje é o *Vasant Pantchami*, uma das cinco grandes festas populares da Índia: a que marca o início da primavera. Todos devem usar ou vestir, hoje, qualquer coisa amarela. Segundo a lenda, nesta data, o deus Shiva, com um simples olhar, reduziu a cinzas Kamdeva, o deus do amor. (Ainda não entendi bem a lenda, mas a morte do deus do amor me causa uma delicada tristeza.)

Procurei saber onde poderia ver a festa de hoje. Disseram-me que em Bengala. É onde melhor se festeja o *Vasant Pantchami*. Até fazem uma procissão, com a deusa do Saber, Sarasvati, que, por fim, é mergulhada no rio.

E, como se não me bastasse estar triste com a morte do deus do amor, e com a distância que me separa de Bengala, ainda me descrevem rapidamente outras festas populares: o *Holi*, com suas bisnagas de água colorida; o *Divali*, com suas roupas novas, seus presentes, seus fogos de artifício, suas luminárias; e o *Rakhi*, com os fios coloridos que as moças amarram no pulso dos irmãos, como fez a deusa Sachi a seu esposo, Indra, quando o viu derrotado pelos demônios, – a fim de que recobrasse forças, e voltasse a combatê-los, e triunfasse... (Coisas que não verei, – que se realizam noutros meses...)

***

Conheci uma princesa muçulmana. Todos vão pensar que era uma figura das *Mil e uma noites*: mas não era. Não tinha véus nem joias cintilantes. Não possuía, mesmo, grande beleza.

O que tinha era uma exemplar modéstia. Um suave sorriso. Uma simplicidade perfeita. E isso a fazia resplandecer mais do que todas as mulheres que já vi no mundo, cobertas de beleza e luxo. Na verdade, não parecia uma princesa das *Mil e uma noites*, – mas era. Porque está escrito: "A virtude era o seu adorno e o seu perfume".

* * *

O poema de Rilke aos olhos das rendeiras, a esses olhos perdidos no entrelaçamento dos fios, pode-se repetir aos dos bordadores do Cachemir. Os xailes, os casacos, os panos que eles vendem não trazem apenas flores e arabescos delicadamente bordados; trazem, sobretudo, os olhos e as mãos desta gente que, dia e noite, transfere cada minuto de sua existência para estes pontos de seda, pequenos e finos como cílios, com os quais descrevem flores, ramos, jardins, campos, primaveras... "Vede" – dizem os bordadores – "não se distingue o avesso do direito!" É o seu orgulho. Um orgulho humilde de quem desejaria fazer ainda melhor.

Ponho-me a pensar: como seremos nós, míseras criaturas do Ocidente, com o prodígio pesado das máquinas, – diante destes olhos disciplinados em graça e exatidão, que veem todas as nervuras de uma pétala e são capazes de reproduzi-las no mundo mágico de seus bordados? "Não se distingue o avesso do direito!" – a perfeição é a sua alegria. E suspendem entre as mãos e os olhos os seus bordados – isto é, a sua vida.

* * *

Perguntaram-me para onde vou agora. Quem sabe para onde vai, jamais? Se for para o norte, encontrarei o templo de ouro de Amritsar, em cima do poço da Imortalidade. Se for para o sul, vou ter à cidade deserta de Fatehpur-Sikri, ao pórtico de Sanchi, às grutas de Ajanta, às pedras de Haiderabad, às minas de Golconda, até Madura, – a indescritível – sempre entre deuses, colunas, templos, escadarias... Se for para o leste, chegarei à rósea Jaipur, com o Palácio dos Ventos, o cintilante Observatório, os salões de nácar do alto palácio de Amber... Se for para leste, verei o Taj Mahal, Banaras, com seus tecidos de ouro e seus penitentes mergulhados na lama do rio santo, o Ganges, reclinado em alvas areias...

Para qualquer lado que vá, tudo será maior que qualquer sonho. (Feliz é a folha dócil, na mão da aragem!)

Rio de Janeiro, *Diário de Notícias*, 13 de junho de 1954

Recordação de Acbar

CAMINHO DE AGRA – Feliz também o que para, nesta vastidão, e alonga o olhar, e recorda.

Não, a Índia não é apenas para ser vista em seus aspectos superficiais, sejam eles pitorescos, dolorosos ou brilhantes. É para ser vista, principalmente, em profundidade, em história, em sonho, em tempo. Refazer com a imaginação todas as coisas que aconteceram por estes lugares, sentir o que está guardado dentro destas palavras – Agra, Delhi, Sikandra, Fatehpur-Sikri... – é deslizar por dentro dos séculos, ir ao encontro desse famosíssimo Acbar, filho de Humayun, neto de Báber, – da estirpe de Tamerlão, de Gengis Cã, dessa confusa gente mongol, tártara, turca, – Jalal-uddin Acbar que deixou sua lembrança perpetuada em conquistas da terra e do espírito; na fundação de um império, na unificação de povos, em habilidade política e administrativa, em amor às artes e em curiosidade filosófica.

Vamos agora para Agra, onde Acbar – o Grande (a paz seja com ele!) – passou os últimos anos de sua vida, e onde morreu. É semana de lua cheia – o tempo de visitar Agra e contemplar seus diáfanos monumentos. Mas paramos, no caminho para subir ao mausoléu do imperador, em Sikandra.

SIKANDRA – Não sei por onde está o sol: tudo flutua numa luz de nácar, dourada e rósea. Há pouco, passou diante de mim um voo de pavões resplandecentes. Havia uns campos de flores amarelas. De mostarda, disseram. E um camelo, da cor da terra. E um poço, de onde tiravam água. E um silêncio de mundo desabitado.

Os pársis entregam os cadáveres aos corvos. Os hindus queimam os seus mortos. Os cristãos enterram-nos sob uma lápide, ou um pequeno monumento. Estes príncipes mogóis construíam palácios, – para a memória dos defuntos, ou para a glória da morte?

De modo que este túmulo do grande imperador do século XVI é, como vários outros, um palácio, precedido de plataformas, jardins, lagos, pórtico e escadaria. Neste, superpostos terraços elevam graciosas cúpulas sobre a imponente edificação. E os sucessivos arcos e a filigrana dos arabescos transformam em renda e seda florida este mármore polido pelo tempo e sobre o qual, mais do que todos estes intermináveis ornamentos, brilha, apesar de invisível, a face eterna do imperador.

ACBAR – Ele nasceu em 1542, numa pequena fortaleza, quando o pai partia para o exílio. Subiu ao trono aos quatorze anos; e, logo que se livrou do regente, começou a expandir sua vocação de reinar. Não sei se houve, jamais, outra, mais perfeita do que a sua.

Dos dezoito aos vinte e cinco anos, tudo são guerras para firmar sua autoridade por estes lados do Pandjab. Mas é nesse tempo de guerras, com flechas para cá e para lá, cavalos, elefantes, tendas de campanha, – que eleva em Delhi o túmulo de seu pai Humayun: palácio de largo domo central, com muitas cúpulas em volta, que até hoje cintila perfeito, no meio de um jardim.

É um moço de vinte e sete anos, já conquistou Ajmir, vai apossar-se de Oudh e Gwalior, – mas, para agradecer o nascimento de um filho, constrói a cidade de Fatehpur-Sikri, joia de arquitetura que, hoje, o vento e a poeira envolvem, sem destruir.

Em meio século de reinado, esforçou-se por uma conciliação geral dos homens que o cercavam. Misturou, nas escolas, muçulmanos, hindus e persas. Chamou jesuítas de Goa, para o instruírem no Cristianismo. Ofereceu-lhes muitos presentes, aprendeu a pronunciar o nome de Jesus, ordenou fossem traduzidos os evangelhos, mandou ensinar a língua persa aos padres e a portuguesa aos filhos, – e as abóbadas de Fatehpur-Sikri repercutiram debates religiosos que, entre cristãos e maometanos, promoveu.

Seu filho começava as lições escritas com a fórmula "Em nome de Deus" – e ordenou-lhe acrescentar: "e de Jesus Cristo, o verdadeiro profeta e filho de Deus". Mas também adorava o sol, como os pársis, e fez a nação aceitar suas interpretações pessoais dos textos islâmicos. De modo que, até morrer, não se conseguiu saber qual era a sua fé, embora o vissem muitas vezes em êxtase e tivesse mandado gravar na porta principal de Fatehpur-Sikri esta curiosa inscrição: "Jesus disse (a paz seja com ele!): o mundo é uma ponte. Por isso, passa por ela, mas não edifiques nada ali." (Não vi a inscrição, não sei se a tradução é exata. Creio que quereria significar: "Não te apegues ao que edificares".)

Seu gênio era como os seus palácios: sólido, florido, variado.

Pensou no povo, e tratou com sabedoria da sua administração: todos se referem às suas preocupações com os impostos: repartiu-os proporcionalmente à propriedade e à renda, combateu as extorsões. Dizem que simpatizou com os jesuítas que mandara buscar a Goa porque se recusaram a absolver certos mercadores cristãos que sonegavam impostos ao reino mogol.

Mas os impostos não perturbavam seu gosto pelas artes. Elevou fortalezas em Agra e Laore – e uma fortaleza mogol é um deslumbramento de mármores e arabescos. Disfarçou-se em hindu, para poder ver a poetisa Mira Bai, a belíssima rainha de Mewer. Depois de a ver e ouvir, no seu palácio de Chitor, caiu-lhe aos pés, e ofereceu-lhe um colar de diamantes para o seu templo, – colar tão fabuloso que os joalheiros da corte revelaram não poder vir de um homem qualquer.

Queria conhecer os instrumentos científicos do tempo, e, uma noite, mandou chamar um dos jesuítas que tinha em seu palácio, para que lhe mostrasse, num livro de geografia, os mapas de Portugal e da Índia.

E mandou embaixadas a Felipe II e parece que ao papa.

E publicou um decreto para ninguém se opor à construção de qualquer edifício de culto, fosse igreja, sinagoga, templo, mesquita ou altar para fogo.

Quando as águas de Fatehpur-Sikri não lhe pareceram boas, mudou sua corte para Laore, deixando para trás de si aquele esplendor de varandas, terraços, túmulos de nácar e mármore, e residências de imperatrizes, e salas de conferências religiosas... ("Não te apegues ao que edificaste...")

Em Agra morreu, no ano de 1605. Talvez o tivessem envenenado. Porque apesar de tão notável, com tanta capacidade de compreensão e conciliação, – ou por isso mesmo, – tivera de sofrer o combate de seu ortodoxo irmão, e do filho Salim, cujo nascimento agradecera com a construção de Fatehpur-Sikri.

TÚMULO DE ACBAR – Aqui é Sikandra. Muito longe, muito longe, são nuvens brancas acumuladas, ou os minaretes do Taj Mahal? A luz parece um pó de ouro e de coral descendo do céu, pousando em tudo; no chão, nos mármores, nas árvores, no nosso rosto, nos muros.

O imperador – continua o guia – reduziu seu harém a quatro mulheres: uma de cada religião (oh! o grande eclético...) – e enumera: Jodh Bai, Birbal, Maria... Maria era cristã. Portuguesa. (Mas acho que é lenda.)

Na sala do túmulo, o crepúsculo é veludoso. Como sob a asa de um imenso pássaro. O vulto que ali permanece de guarda, sentado, com ramos de jasmim para os visitantes espalharem sobre a lápide, grita o nome de Deus, para se ouvir a sua repercussão pelas sucessivas abóbadas, de eco em eco. O grande clamor propaga-se naquela solidão, como se um povo inteiro ali se comprimisse. "Alaú Acbar!" "Só Deus é grande" – é o que está também escrito no túmulo daquele que se chamou Acbar e que, apesar de tudo, foi realmente grande.

Mas isto é o túmulo. De seus restos não sei. Parece que não estão aqui. Onde podem estar os restos de homens como este? Basta o nome, a lembrança, a história, a obra...

(Tudo é tão belo que dá vontade de morrer também.)

Rio de Janeiro, *Diário de Notícias*, 27 de junho de 1954

Reino de Hanumã

Agora que saímos do túmulo de Acbar, a tarde não é mais aquela, rósea e dourada, entre nácar e manga madura, que contempláramos à chegada, – mas uma vasta claridade de prata, límpida e fria como um espelho. E, sobre a transparência do céu, os pormenores da paisagem começam a imprimir-se com uma nitidez muito fina de desenho negro.

Apontam-nos um vulto que desliza a pouca distância, e logo desaparece entre as árvores. Dizem-nos, com um extasiado sorriso: "*Bandar!*" Era um macaco. Paramos, – e descobrimos outros, outros mais, pelos muros, pelas plataformas, pelo terraço. Chegam, olham, saltam, passam, tornam a olhar, param. São leves, ágeis, graciosos. Terão talvez um metro de altura, os adultos. Muito delgados. A pelagem, fulva, cor de mel, com tufos mais escuros, cor de caramelo, ou mais claros, como marfim antigo. Seria assim, Hanumã, o rei dos macacos, "cor de ouro brunido", como se lê no Ramayana, a imortal epopeia sânscrita?

Todos se juntaram agora ao longo de uma cornija. E como são numerosos e expressivos! As fêmeas vêm de longe, a correr, com os filhinhos agarrados ao peito, e assim pulam, e assim ficam – tão humanas, na sua ternura! – palpitantes e vagamente desconfiadas do nosso jeito ocidental, que certamente percebem, entretidas, por um momento, na sua observação.

O guia contempla com outros olhos essas criaturas aglomeradas, essa pequena aldeia, nervosa e aérea, que subitamente apareceu diante de nós. Parece-me que lhe explica os visitantes que somos. (A Índia é um país em que a sabedoria não se encontra apenas nos livros sagrados, mas na vida diária, que repete os apólogos e fábulas entrelaçados na tradição como os ramos dos bosques e as tranças dos rios.)

Pois era uma vez um macaco que vivia com um pequeno encarregado pelo rei de dar um disparo de canhão todas as tardes, para que os seus súditos descansassem e orassem. Tanto se acostumara a vê-lo meter fogo no canhão, que imaginou ser capaz de fazer o mesmo. Aproveitou a ausência do homem, para tentá-lo. Não acertou logo. Por isso, aproximou o focinho da boca do canhão, a ver se descobria a causa do seu insucesso. Justamente nesse momento, o canhão explodiu e matou-o. De onde se conclui que cada um deve ser apenas o que é, sem procurar imitar ninguém.

Outro macaco vivia na casa de um carpinteiro. Via-o trabalhar com a madeira, abrir fendas, entalar cunhas. Resolveu ajudá-lo e ficou com a cauda presa. De onde se conclui que ninguém se deve apresentar onde não é chamado.

Ainda outro macaco vivia no alto de uma mangueira. Lá em cima, não queria companhia nenhuma. Passava o tempo a comer mangas e a atirá-las a quem passava embaixo. Passou um crocodilo, ganhou também a sua manga, ficaram amigos, começaram a contar histórias um para o outro. O macaco, histórias da floresta; o crocodilo, histórias do rio. Conversa vai, conversa vem, fez-lhe o macaco esta confidência: tinha no coração uma pérola.

A mulher do crocodilo fica impressionadíssima com o que lhe revela o marido. Já a carne do macaco deve ser uma delícia, dado que é feita só de mangas, essa fruta excelente. Mas o que não será o coração do macaco, que tem dentro uma pérola, a mais bela joia do mundo? E roga ao marido que o traga de qualquer modo, para o seu jantar.

Lutando muito com a consciência, lá vai o crocodilo buscar o macaco. Mas no caminho, já com ele às costas, lembra-se do castigo que Deus lhe dará por aquela traição, e conta-lhe o plano de sua malvada mulher.

Então, o macaco desculpa-se. Ora essa! ele não leva o coração consigo... Como iria expor aos acasos de uma viagem a pérola que tem lá dentro? Não: o coração fica sempre pendurado lá na mangueira... Precisam voltar, para apanhá-lo...

E voltam. Do alto da árvore, fala o macaco: "Dize à tua mulher que prefiro guardar a pérola comigo!" – De onde se conclui que a iminência da morte é capaz de engendrar os mais engenhosos subterfúgios.

Outro macaco, que também vivia numa árvore, roubou um punhado de lentilhas do saco de um mercador que ali perto se deitara a dormir. Quando as saboreava, lá no alto, caiu-lhe das mãos um grão. E o macaco desceu para apanhá-lo. E não só o apanhou como, com a descida, perdeu todas as lentilhas que tinha. De onde se conclui que, às vezes, pelo menos se perde o mais.

Também certa noite, estavam muitos macacos reunidos e viram um vaga-lume. Pensaram que fosse uma chama, e começaram a juntar lenha para uma fogueira. Mas um pássaro, pousado numa árvore, avisou-os: "O que vedes não é o que pensais!" Os macacos não fizeram caso. Nem olharam para ele. O pássaro insistiu, e resolveu descer, para castigá-los.

Um homem que estava perto disse ao pássaro: "Não te canses em alertar e corrigir aqueles que não querem ser alertados nem corrigidos! Ninguém corta a pedra com uma espada nem endireita um pau torto! E quem o tentar fazer certamente se arrependerá!" O pássaro aproximou-se dos macacos, e logo foi agarrado e morto.

Em quase todas as fábulas orientais, o macaco é sempre personagem inferior, apenas com algum rasgo de esperteza, aqui ou ali. Mas no Ramayana Hanumã, rei dos macacos, Hanumã, "cor do ouro brunido", Hanumã, dos longos braços, é figura central, amigo e companheiro do herói. Filho de uma ninfa e do deus do vento, ainda criança, pensou que o sol fosse um brinquedo, ou uma fruta, e atirou-se sobre ele. Indra, o grande deus, fulminou-o; mas seu pai, o deus do vento, conseguiu ressuscitá-lo. Tal era a sua leveza que, na epopeia, pode ir, de um salto, da Índia ao Ceilão. Tal era a sua força que, para curar os seus aliados com quatro plantas mágicas, que se escondem à sua chegada, arranca e traz aos ombros um pedaço do Himalaia, onde estão: o simples que ressuscita da morte, o que faz sair as setas das feridas, o que cicatriza as chagas e o que restitui às partes curadas a sua cor natural.

Foi este que descobriu onde o demônio Ravana tinha escondido a princesa Sita. E por ter combatido esse demônio e suas hostes, foi convertido de rei em deus. Quem teria sido, no coração das lendas, esse Hanumã, amigo de Rama, venerado em tantas capelas da Índia, e representado sob a forma de um símio, tendo na mão um leque ou uma lira?

Atribuíram-lhe até a primeira narrativa das aventuras de Rama. Valmiki, autor do famoso poema sânscrito, ao conhecê-la, teria querido rasgar seu próprio livro. Hanumã, porém, precipitou no mar sua narrativa gravada em pedras.

Às vezes, num bosque, num eremitério, avista-se um vulto sentado à oriental, profundamente absorvido na leitura de um livro. É quase sempre o Ramayana, a longa história de Rama, Sita e Hanumã com suas tropas, em luta com Ravana, – símbolo do eterno combate do Bem e do Mal. Mas que poema é esse, – pergunta-se.

> Esse poema afortunado, que atrai a glória, que prolonga a vida, que torna os reis vitoriosos, é a obra primordial que outrora compôs Valmiki.
>
> O homem que puder ter neste mundo, seu ouvido sempre ocupado com a narrativa desta história admirável, ficará livre do pecado. Terá filhos, se os desejar; riquezas, se as ambicionar, – o homem que ouvir lerem os feitos de Rama.
>
> A jovem que desejar esposo conseguirá esse esposo, alegria de sua alma; os seus amados pais viajarem por países estrangeiros, pronta será sua volta.
>
> Os que no mundo escutam este poema que o próprio Valmiki compôs recebem do céu todas as graças, objeto de seus desejos, tal como tiverem sido desejadas.

Assim se lê na última página do poema que tem nutrido a imaginação da Índia, séculos sobre séculos. O poema que se vê meditar, cantar, recitar, dançar, representar até os confins desta maravilhosa terra.

E é um pouco sob a proteção do Ramayana que deixamos Sikandra, a cornija repleta de finos, inquietos vultos – este reino de Hanumã – e a solidão das plataformas em diálogo com o céu. Um céu tão puro, tão diáfano, tão alto, – já deslumbrado, à espera da lua cheia.

Rio de Janeiro, *Diário de Notícias*, 11 de junho de 1954

Vimos o Taj Mahal

AGRA – Laço de pedra, neste cinto d'água que é o Jamuna. Toda em crepúsculo, agora, – no dia de hoje, no tempo de hoje. Mas, por detrás deste crepúsculo, na profundidade dos séculos, vê-se brilhar o vulto de Báber, "o Tigre": elmo emplumado, aljava a tiracolo, sabre na cinta, lança em punho, sob o para-sol imperial, cercado de sua tropa – cavalos, camelos, arneses, gualdrapas, escudos, flechas, soldados... Foi assim que ele chegou das partes do Ocidente. Sem saber ainda que, no meio do tesouro de Agra, veria cintilar aquele diamante que só duzentos anos mais tarde o conquistador persa, deslumbrado, denominaria *Koh-i-nur* – montanha de luz. Ainda sem saber que ia principiar ali a dinastia mogol em que Acbar foi também como um diamante...

Agra começa a adormecer neste momento, embrulhada na neblina do luar, bordada de árvores. As últimas mulheres desfazem-se na sombra, com suas joias pelos pés, pelos braços, pelo rosto – e seus jarros dourados à cabeça. Os últimos carros desmancham-se no silêncio – rodas mansas, meninos mansos, búfalos mansos. Sono. Sonhos.

O jardim. O hotel. Estas cintas de flores que logo insinuam saudades das ramagens bordadas de Cachemir, – lembranças desse mundo delicado que vive em tapetes, miniaturas, arabescos de lacas e de pratas gravadas... Estes copeiros que deslizam, esguios e silenciosos como ciprestes, em redor das mesas: finos pés descalços, redondos turbantes – um giro de tulipas, anêmonas, papoulas...

O jardim, cada vez mais escuro. O céu, cada vez mais claro. (Esta noite veremos o Taj Mahal.)

XÁ JEHAN – É em Xá Jehan que pensamos agora, – porque é obra sua o que vamos ver. E há uma poética melancolia em nosso pensamento, à medida que evocamos sua figura e sua vida. Estranha sensação, a de levantar de suas cinzas tênues esses mortos ilustres que nunca sabemos se chegamos a entender bem!

Ele nasceu daquele príncipe Salim, filho de Acbar, que reinou com o nome ambicioso de Jehanguir – "Conquistador do Mundo". (Parece que, apesar do título, um imperador bondoso e displicente, amigo de caçadas e bebidas, dominado por uma Begam que deixou fama de grande beleza e sedução, além de tão hábil e inteligente, que mais do que nas do marido, teria o império descansado em suas mãos. Haveis de vê-la, nas miniaturas mogóis, com seus longos olhos negros, suas tranças finamente espartidas, como a de uma disciplinada medusa, e seu colo, redondo e nu, sob muitas joias: cor de âmbar, contorno de pérola.)

Oh! esta dinastia mogol, com uns príncipes inquietos, ciumentos, ambiciosos, que se sucedem precipitadamente, com tanto sangue derramado em seu caminho!

Também assim, a ascensão de Xá Jehan. E enchem-se os olhos de pena, diante do seu retrato, nestas primorosas miniaturas, – tão pulcro, o fino perfil aureolado, como o dos santos, a bela barba pontiaguda, o penacho imperial, o franzido turbante ornado de gemas. Muitos crimes, em redor de sua história. E, apesar disso, tão amoroso e tão amado por aquela Muntaz Mahal, a "Coroa do Palácio", que lhe deu tantos filhos, e, ao dar-lhe o último, morreu. (E é certo, lábios amados, que, já cheios de morte, ainda murmurantes: "Não ameis, senhor, a mais ninguém, depois de mim...?")

Homem contraditório, este, que, tendo conhecido o avô Acbar, tão sábio e tolerante, foi um destruidor implacável de igrejas, imagens e pinturas religiosas, tanto dos hindus como dos cristãos. Quase todos os seus atos parecem agudos, violentos como golpes de espada. No entanto, era um apaixonado de pedras preciosas: construiu o famoso trono do pavão, joia que engastava numa complicada arquitetura de ouro a pedraria acumulada nos seus cofres; e era um sentimental, pois mandou elevar, em memória da favorita, este Taj Mahal que o mundo inteiro conhece, por mil descrições e desenhos, fotografias e miniaturas um túmulo que parece imaginário, quando se ouve dizer que levou cerca de vinte anos a ser construído, que é todo de mármore e pedras finas, e reflete num longo espelho d'água, emoldurado por ciprestes, os superpostos planos brancos de parapeitos, colunas, pilares, minaretes, zimbórios, nichos rendados, e que teve porta de prata por onde se entrava para visitar a morta. Tudo parece imaginário, quando se ouve dizer que ali trabalharam artistas persas e turcos, italianos e franceses, com vinte mil operários, e que uns morreram de fome, de tão mal pagos, e outros tiveram as mãos cortadas para não repetirem, em lugar nenhum, coisa que se assemelhasse à obra-prima erguida em Agra, à margem sereníssima do Jamuna.

(Esta noite, veremos o Taj Mahal.)

O TAJ MAHAL – Primeiro, como em todos estes túmulos mongóis, é o pórtico, o arco, a porta imensa, que é já como um pequeno palácio, e onde nos recebem com uma candeia que ilumina ora um pedaço de parede, ora um pedaço do teto, perturbando-nos com estas lâminas de luz e escuridão. Rodam aos nossos olhos ornamentos, arabescos, inscrições, e figuras vivas, envoltas em sedas e lãs, com esse movimento e esse olhar de tão profunda majestade que só no Oriente se podem conhecer. Entre luz e treva, uma bruma que nos abraça e conduz e fala de histórias seculares. Ficamos ofuscados, separados do mundo. (Que é da clara noite que víamos lá fora, como um véu de musselina a descer sobre a cidade?)

Atravessamos o pórtico que dá para o jardim interior. A clara noite está aqui. Outro guia aponta-nos o caminho, ao longo do espelho d'água que reflete o branco túmulo: ramo de magnólias naquele cristal do lago diáfano.

Tão denso é o luar que tudo se torna impalpável: chão, ciprestes, muros, os vultos humanos, e seus movimentos e gestos. O luar atravessa tudo: se falarmos, a voz é absorvida por esta claridade esponjosa, ensurdecente, em que tudo se converte com delícia. Terá ficado no pórtico o nosso corpo, como um trajo miserável, num vestíbulo? Isto que somos agora é já outra coisa – aérea e resvalante: um pouco de vento que ainda pensa e recorda, apenas.

E assim transfigurados encontramos outros guias, que se sucedem, com outras candeias, outros mantos brancos, outras vozes – tudo esparso na brancura do luar que não parece vir da lua, mas deste mármore, das suas placas polidas, de suas colunas roliças, de seus minaretes, – fustes imóveis de espuma – desta renda dos nichos, destas grades das gelosias, que refletem no chão seu formoso desenho de flores. Mármore que, à luz da candeia, revela seus segredos minerais mansamente superpostos, e os seus embrechados lambris, onde lírios, fúcsias, tulipas, campânulas de diferentes cores imitam os bordados de Cachemir, lavrados em pedras preciosas a repetirem minuciosamente os vários tons de caules, folhas, pétalas, pistilos, sem constrangerem a graça das curvas nem a expressão dos ramos que se elevam ou se inclinam, como se por eles continuasse a passar uma perpétua aragem.

E eis os túmulos de Muntaz Mahal e de Xá Jehan, ao lado um do outro – como deveriam ficar para sempre os que se amaram. O dele, um pouco mais acima – porque era o imperador. No mármore, frisos e frisos superpostos, de delicadas flores, finamente gravadas. E, no alto, os ramos de jasmim vivo que os visitantes vão recebendo do guarda que, em troca de algumas moedas, os convence de que é preciso eternizar e venerar este sonho de beleza em redor da morte.

Não estão verdadeiramente aqui, nestes ataúdes, os restos de Xá Jehan e Muntaz Mahal. Descansam na cripta aonde nos conduzem como se nos levassem para um outro reino. Descemos? Flutuamos? Estamos realmente vendo alguma coisa.

Depois, levitamos pela plataforma, em redor das colunas, vestidos de luar, falando e tateando luar – puros fantasmas felizes.

FIM – Acasos de guerra? Divergências de ideias? Tesouro esbanjado? Os dias gloriosos de Xá Jehan terminam na fortaleza de Agra, onde o aprisionou Aurangzeb, seu filho e usurpador do trono, sangrento rival de seus irmãos. Dizem que, antes de morrer, o velho imperador pediu que o levassem numa cadeira de ouro até uma janela, para ver o Taj Mahal pela última vez. E que nesse instante chorou. Pela amada? Pelo palácio que a guardava, tão branco, tão puro, tão eterno? Pelos rivais e filhos mortos? Por esta incompreensão da vida? Pela aproximação da morte? (E é certo, envelhecidos olhos, que desejastes construir, do outro lado do rio, o vosso próprio túmulo, negro e majestoso, unido a este por uma ponte de prata?)

Grandes são estas águas do Jamuna, que vão daqui até o Ganges. A pequena lágrima de Xá Jehan boia sobre elas; paira sobre muitas ondas de sangue derramado; brilha nestas flores de ágata, calcedônia, turquesa, jade, como um orvalho inesquecível.

Noite. Luar. Sereno. Vimos o Taj Mahal! Uma espécie de música nos atordoa, divinamente. Vimos o Taj Mahal. Não estamos mais no mundo. Somos puro sonho evaporado deste palácio branco, livres da vida e da morte, por um momento – alados, sem resistências, entregues a estas recordações de glória, amor, melancolia: – a história humana, em forma de mármore, água, luar, com uma pequena lágrima no fim.

Rio de Janeiro, *Diário de Notícias*, 25 de julho de 1954

A modesta Patna

A caminho de Patna, sabe-se que existe – mas não se pode no momento alcançar – a sagrada Banaras, célebre não apenas por estes maravilhosos tecidos de gaze metálica que envolvem de auroras e relâmpagos as formosas mulheres da Índia, mas célebre acima de tudo pela sua tradição religiosa, pelas centenas de templos que aí se concentram, e por essas escadarias que servem, ao nosso tempo, para os devotos que se banham no Ganges a louvarem a água e o sol e para os mortos que, cremados, sobem para Deus, reduzidos a uma exígua linha de fumaça.

Mas é para Patna que voamos. Em Patna é que ficaremos. E pensamos nesse breve nome, que, decerto, no Ocidente, não desperta nenhum eco! Patna – uma pequena cidade à margem direita do Ganges, – um ponto no mapa, neste imenso mapa da Índia onde todos os pontos marcam, no entanto, um novo cenário, uma outra história, uma imprevista revelação.

Do aeroporto ao hotel, tudo é simples e afável como, em melhores tempos, um bairro do Rio de Janeiro. E o hotel, no meio de um jardim um pouco abandonado, tem o jeito familiar de qualquer palacete conhecido na infância. Apenas, como em cinco horas de voo para leste o clima é outro, portas e janelas estão largamente abertas, protegidas por cortinas coloridas, sendo que as das portas não chegam até o chão. As camas têm cortinados de tule, e o banheiro é no estilo indiano, isto é, com recipientes de água fria e água quente, e uma vasilha que serve para misturá-las e despejá-las pelo corpo, no ato do banho. (Esse sistema não é tão prático quanto o do chuveiro, mas é muito mais higiênico do que o da imersão, e tem a vantagem de economizar água, sem sacrificar o asseio.)

Debruço-me à janela, para sentir o ar, a luz, a tranquilidade deste meio-dia de Patna. O longo muro que separa o jardim do hotel do edifício vizinho está sendo reconstruído. E, ao contemplar estes pedreiros ocupados em tarefa tão simples, recordo os templos que já vi, as colunas lavradas de mil desenhos minuciosos, paredes recobertas de lâminas de nácar, de ouro, espelhos, as filigranas de mármore, os deuses de pedra, as fortalezas e os parapeitos, – e passam diante dos meus olhos mãos seculares, milenares, perfis de artífices inclinados para o seu primoroso trabalho que o tempo não desgasta, anônimos artífices que amamos tanto sem sabermos quem foram, apenas pelo que as suas mãos deixaram, e que os fez imortais.

No meio do jardim, há uma mulher sentada numa esteira e cercada de crianças. – Quantas vezes tenho encontrado na Índia este mesmo quadro. – Que faz essa mulher? Conta histórias? explica o mundo? ensina cantigas? brinca de adivinhações? As crianças aproximam-se, como para ouvir melhor, depois afastam-se, de mãos erguidas, com a alegria de uma conclusão. Em dado momento, a mulher levanta-se, e muda a esteira de lugar, em baixo da árvore, para proteger-se do sol. E o entretenimento continua.

Relembro um Rio de Janeiro de jardins e quintais, de crianças que cresciam sob mangueiras e cajueiros, de amas e avós que sabiam contar histórias e propor adivinhações: um tempo feliz intimamente ligado à vida, um tempo adorável, de criaturas solidárias, unidas por uma afetuosa cadeia de tradições. Por isso, a Índia vai sendo para mim, dia a dia, entre mil outras coisas, uma grave imagem de saudade. É preciso vir-se no Ocidente com um coração dolorido pela falta de ternura geral, é preciso ter-se deixado para trás a frieza de uma civilização de cimento e aço da qual se defendeu a força pura do coração, para se parar emocionado diante de uma centena destas, tão simples, tão humana, tão livre das circunstâncias efêmeras e tão próxima do sentido eterno do mundo.

O vento que chega pelas janelas e pelas portas sacode estas cortinas coloridas, e parece uma festa. Do jardim sobe um perfume vivíssimo: são as ervilhas-de-cheiro, que abrem suas grandes flores policromas sobre uma fina sebe de bambu.

Vamos visitar o Instituto de Pesquisa da Batata, que é uma das muitas obras científicas em que se empenha o país. Um grupo de especialistas apresenta e explica seus gráficos, mostra numerosos exemplares de diferentes variedades de batata ensaiadas em experiências tecnicamente conduzidas a fim de serem verificadas suas qualidades de produtividade bem como as de resistência às doenças que tanto assolam o tubérculo.

O material exposto é suficiente para deixar pensativo o mais desatento poeta que ocasionalmente o contemple. Mas o que sobretudo impressiona é o entusiasmo e a febre de trabalho que parecem empolgar todos esses estudiosos, apaixonados pelas suas investigações.

Em redor do laboratório, estende-se o campo de plantio para as experiências. E por aí caminhamos todos, a conversar sobre o Brasil e a Índia, com uma camaradagem de antigos conhecidos, uma simplicidade de habitantes do mesmo mundo, – enquanto o céu começa a inventar as cores do crepúsculo e os caminhos das estrelas.

Vamos jantar à casa de um dos técnicos do Instituto. Nenhum aparato. A recepção mais íntima, cordial e generosa que se pode encontrar: por isso mesmo, a mais inesquecível e emocionante. O ambiente modestíssimo que caracteriza o esforço de recuperação da Índia e o seu propósito de cooperação verdadeiramente nacional. – Como estamos longe dos palácios mongóis, com seus mármores e pedras preciosas! – Tudo aqui se reduz às linhas essenciais da habitação, e à pequena mesa onde a comida indiana exala seus fortes aromas. A dona da casa envolta num sári alaranjado tem essa presença tão serena e reconfortante, suave e protetora, que simboliza a própria maternidade. E as crianças são como todas as crianças que vi na Índia: exatamente iguais a flores, pela delicadeza, pela graça, pela doçura tímida com que levantam os imensos olhos negros, ou modelam nos lábios um puro sorriso.

E essa paz que envolve as famílias indianas. Um silêncio caricioso. Uma compreensiva bondade. Como se todos estivessem pensando que os nossos encontros neste mundo, mesmo os mais caros, são apenas momentâneos, e que nós devemos tratar como viajantes humildes que vão e vêm pelas portas da Eternidade.

Voltaremos a ver estes doces amigos de um instante? Onde? Quando? Guardo as imagens no coração: a mais graciosa é a da criança que ainda não sabe falar, e vai adormecendo nos braços do pai, à sombra do seu turbante, do seu olhar, do seu sorriso, da sua barba de *sikh.*

No dia seguinte, antes de partirmos, ainda corremos ao museu, que é uma das belas coisas de Patna. Corremos de um modo singular: num carrinho puxado por um ciclista. Parece impossível, mas é assim: a bicicleta roda e leva--nos consigo no bojo de um pequeno veículo com pinturas encarnadas.

O museu não é para ser visto num dia nem numa semana: é para nos deixar escravizados às suas salas, aos seus armários, diante das peças de arqueologia e dos objetos de arte, – por um tempo sem relógios, sem compromissos nem solicitações. Mas que pode fazer nesta Índia imensa e prodigiosa o passante obediente ao seu programa, embora de cada canto, de cada parede, tudo esteja a chamá-lo, a reclamar o seu olhar e a sua atenção?

Cercados pelas miniaturas mongóis como quem fosse de súbito transportado ao esplendor dos séculos XVI e XVII, recompondo nos ambientes que antes visitamos as cenas que agora vemos, desejaríamos imprimir nos olhos, para sempre, cada rosto, cada animal, cada jardim, cada flor tão preciosamente pintados. Mísera coisa somos. Não há memória com suficiente nitidez ou fidelidade para conservar ao lado uma da outra, límpidas e luminosas como aqui se encontram, as figuras desta encantadora galeria!

E assim vamos, arrastados para a frente, para a rua, para o aeroporto, para outros lugares, insensíveis a malas, passagens, balanças, passaportes... Continuamos a ouvir a voz que nos falava: "Hoje, Patna é quase apenas esta rua principal, com seus edifícios, suas residências, suas propriedades rurais (porque na Índia o rural e o urbano se entrelaçam inseparáveis...). Mas por estes lugares floresceu outrora a maravilhosa cidade de Pataliputrá, capital de um império que ia quase do norte ao sul do país. Era cercada por uma extensa muralha de madeira com mais de sessenta portas e quase seiscentos torreões... O palácio real tinha colunas com trepadeiras de ouro e pássaros de prata! Pataliputrá foi um grande centro de cultura e de ensino budista. Ainda se encontram esparsos alguns vestígios desse antigo esplendor..." – E o resto? – "O resto dorme sob as areias do Ganges..."

As areias do Ganges! Visto do avião, o rio parece um imenso deus de cristal recostado num trono branco. São as suas alvíssimas areias.

Rio de Janeiro, *Diário de Notícias*, 5 de setembro de 1954

Do Ganges a Tagore

Na verdade, o Ganges não é um deus, mas uma ninfa, como se lê no velho texto do Ramayana. A simples informação geográfica de um rio que nasce no Himalaia e vai desaguar na baía de Bengala, depois de receber muitos afluentes nas longas milhas do seu percurso, – nada tem a ver com a sua verdadeira biografia. E quem não a conhecer não pode associar a estas águas a virtude purificadora que se lhes atribui, nem entender como para tanta gente o supremo bem é mergulhar no lodo das suas margens, que limpam de todos os pecados, ou ter as cinzas atiradas à sua correnteza, depois da morte, quando se abandona o triste corpo cremado, como um vestido gasto, e se sobe para os palácios de Deus em puro espírito desprendido.

Rei é o Himalaia, – rei das montanhas, com seus fabulosos tesouros de pedrarias fechados nas minas. Casou-se com Mena, filha de Meru, deusa encantadora e graciosíssima, que lhe deu duas filhas: Gangá e Umá.

Os imortais, que habitam lugares sobre-humanos, desejaram Gangá para sua esposa; Gangá, a que caminha à vontade no seu leito de areias para a purificação dos três mundos. (É assim que se lê na velha história. E Gangá significa, realmente, "aquela que vai" ou "o rio que vem do céu à terra".)

Crônicas de viagem 2 ✦ 233

Quando o asceta Visvamitra contava ao herói Rama essa história do Ganges, parou na cerimônia do casamento, depois da qual os Imortais partiram do Himalaia, levando consigo a sua noiva Gangá. Rama, porém, quis saber mais. Por que a ninfa rola por três leitos e vem espalhar-se no mundo dos homens, ela que é o rio dos deuses? Quais são as suas obrigações?

E Visvamitra recomeçou de muito longe. Era uma vez o rei Sagara, que, apesar de possuir duas esposas, não tinha nenhum filho. Por isso se dedicou a longas penitências, até que, um dia, um anacoreta lhe anunciou: uma de suas mulheres seria mãe de um só filho, com muitos descendentes, e, a outra, de muitos filhos, sem descendente nenhum. Deviam escolher.

As mulheres escolheram. E assim foi. A primeira teve um filho único. A outra, sessenta mil, – que saíram de dentro de uma abóbora.

O filho único foi banido pelo pai, por ser um herói exterminador; mas deu-lhe um neto, benquisto de todos, e cujo nome era Ançumat.

Certa vez, preparava-se o rei para fazer o sacrifício de um cavalo, quando aparece uma serpente que rouba o animal destinado ao sacrifício. Interrompe-se a liturgia, e os sacerdotes exigem que o rei mande perseguir a serpente. Sagara chama os seus sessenta mil filhos, ordena-lhes que a procurem por toda parte, enquanto ele e o neto ficam à sua espera, presos ao compromisso religioso já iniciado.

Depois de haverem escavado toda a terra, construindo as montanhas e os vales que hoje existem, descobrem que o cavalo foi roubado pelo próprio deus Vishnu a fim de preparar o desaparecimento dos sessenta mil filhos do rei. De fato, quando se aproximam do cavalo, o deus redu-los a cinzas.

Então, o rei, cansado de esperar, manda o neto à procura dos tios. O neto, depois de muito andar e conversar com os quatro elefantes que suportam o mundo, encontra o cavalo roubado e o monte de cinzas a que ficaram reduzidos os seus sessenta mil tios. Encontra igualmente Garuda, o rei das aves, tio materno dos mortos, e, quando lhe comunica o seu desejo de regar aquelas cinzas com água lustral, dele recebe o conselho de fazê-lo com as águas de Gangá, – pois desse modo aqueles mortos irão para o céu.

Ançumat volta para trazer o cavalo ao avô e contar-lhe o conselho de Garuda. E o rei Sagara começa a pensar na maneira de trazer o rio do céu. Mas, depois de ter reinado trinta mil anos, morre, sem conseguir trazê-lo.

Ançumat devia suceder ao avô, mas preferiu entregar o reino a seu filho Dilipa e retirar-se para o Himalaia como penitente. Queria conseguir também, à causa de macerações, que Gangá descesse, a fim de purificar as cinzas dos sessenta mil tios. Mas não o conseguiu, apesar de trinta e dois mil anos de penitência. No entanto, morreu e foi para o céu.

Dilipa, que reinou vinte mil anos, também fez inúmeros sacrifícios, com o mesmo fim. E Gangá não desceu.

Seu filho Bhagiratha não tinha descendente. Asceta, passou mil anos em penitência. E o deus Brahma apareceu-lhe e disse-lhe: "Pede o que quiseres". Pediu que Gangá descesse a fim de purificar as cinzas de seus antepassados, para que eles pudessem entrar no céu sem mácula.

Mas o próprio Brahma achava Gangá tão poderosa, com suas águas, tão pesada e tão grande que o aconselhou a pedir o auxílio do Shiva, para sustentá--la na sua descida à terra, pois o mundo podia quebrar-se, sem o socorro de um deus. O rei fez ainda mais penitências, e Shiva ordenou a Gangá que descesse.

Quando Gangá desceu do céu e começou a caminhar pelo mundo, o rei Bhagiratha ia na frente, para conduzi-la até o lugar onde estavam os seus antepassados, que logo se purificaram e puderam subir sem mácula ao Paraíso.

Foi essa história que Visvamitra contou a Rama. Como todas as grandes narrativas da mitologia indiana, essa também concede indulgências até aos que a ouvem contar. Esses terão riquezas, fama, vida longa, o céu e a purificação dos pecados. Se a simples narrativa pode produzir mais efeitos, quando ouvida com atenção (e, naturalmente, bem compreendida), que benefícios não receberão os penitentes que, como esses velhos reis, de um passado incalculável, se dedicam a tanta meditação, concentrados pelos lugares sagrados da Índia?

Visto do alto, o Ganges parecia uma nuvem estendida pelo chão. Mas a luz do sol atravessava-lhe a água e fazia-a cintilar sobre as claras areias. Íamos para Calcutá. E era um contraste, essa claridade do rio que caminhava para o mar, e a obscura fama da cidade a que nos dirigíamos. Dela, desde sempre, todos nos falavam com uma espécie de terror. Mesmo os que nunca a tinham visto. Era a representação de todas as sombrias desgraças humanas: da fome, da peste, da devastação... Talvez pelo seu nome, que lembra a deusa da morte, – Kalighat quer dizer "cais de Kali" e Kali é, como Durga, a esposa de Shiva, representação trágica da divindade... – talvez pelas notícias desse clima de mormaço e pântano que os viajantes referem nas suas crônicas...

***

E estamos em Calcutá! E, por enquanto, é o movimento claro do aeroporto, em que se cruzam todas as raças e idiomas. Gente loura e gente quase negra. Línguas europeias e línguas orientais. Turbantes, barretes, sáris, vestidos ocidentais, grandes olhos contornados de colírio negro, véus, tranças, meninos que choram no colo das amas, senhores de cara vermelha que fumam grossos charutos...

Estamos em Calcutá; e as ruas voltam a ser movimentadíssimas, como as de Bombaim. Parece que, em população, esta é a terceira cidade do mundo. Correm veículos variadíssimos: carros puxados por cavalos, puxados por homens; automóveis, bicicletas, motocicletas, carrinhos de mão... Tudo é rumoroso, multicor, e novamente o ar é úmido e cálido, e aparecem, misturados à confusão imensa dos passantes, mendigos que estendem a mão, que inclinam o rosto, que contam como podem a sua história, e os guardas do hotel afastam a turba, e os estrangeiros querem ver as vitrinas, e o hotel está em obras, e os andaimes são de bambu, e pelos andaimes andam os operários como aranhas na teia, – e no imenso restaurante come-se à europeia, come-se à oriental, os ventiladores rodam, os copeiros deslizam como sombras, esguios e silenciosos, com pratos fumegantes, que cheiram a cravo, hortelã, canela, pimenta...

Estamos na região mais oriental da Índia, na província de Bengala. E ocorre-nos à memória a figura quase mitológica de Tagore, o poeta indiano mais conhecido no Ocidente. Nesta cidade, há quase um século, nasceu. Mal acabo de chegar, e já me dizem que se inaugurou aqui uma exposição de pinturas suas. Foi músico, pintor, poeta, romancista, educador, dramaturgo, ator...

Giram, diante de meus olhos, Calcutá, com suas múltiplas aparências, e Tagore, com seus múltiplos dons. E tudo ressoa, como um caramujo aplicado ao ouvido, desde o primeiro instante, neste remoto lugar.

Rio de Janeiro, *Diário de Notícias*, 19 de setembro de 1954

Um dia em Calcutá...

Saio a correr, para encontrar os amigos – os bem-aventurados amigos que sempre existem à nossa espera, em qualquer parte do mundo.

Iremos ao Mercado. "Mas não se esqueçam de que preciso comprar um livro de bengali!" Não, eles não se esquecem. No Mercado há tudo, garantem. "Mas livros, também?" "Também."

Saio com tanta pressa que quase atropelo os bambus com que estão sendo armados os andaimes do hotel. (Admirável Índia, com andaimes de bambu, com janelas e varandas por todos os lados das casas, com jardins e árvores copadas, com estas roupas masculinas e femininas tão adequadas ao clima... Admirável Índia compreensiva, onde todas as coisas têm sua razão de ser!)

Salvo-me dos bambus, mas paro diante da primeira vitrina do corredor: "Ó amiga gentil, gostaria de te oferecer as esmeraldas do trono do pavão, os diamantes dos mongóis, as fieiras de pérolas que as princesas antigas usaram no seu colo cor de âmbar... – mas estes adereços de pedras multicores são muito interessantes e baratíssimos. Permite que a minha pobreza te enfeite com estes brincos e este broche!" (Não cheguei a pronunciar esse amável discurso. Nós, os ocidentais, temos visto as palavras tão mal empregadas que às vezes sentimos

Crônicas de viagem 2 ✦ 237

pena delas. Pensei, pois, nas palavras, mas tratei de convertê-las em fato, antes que algum aventureiro se apoderasse dos adornos que tão bem assentavam na minha amiga. Tudo isso num abrir e fechar de olhos, antes também que ela disse: "Ora essa, que ideia, não pode ser..." – pois estava com disposições de dar, e possuía um certo número de rupias para fins poéticos.)

Saio do hotel com a minha amiga enfeitada e surpreendida, e já encontramos o porteiro às voltas com os pobres que querem esmolas, com os aleijados, com os desgrenhados, as criancinhas sujas... (E as minhas rupias loucas para saírem da carteira, e o porteiro a convencer os pobres que não devem pedir esmolas, e os passantes que não lhes devem dar, – um porteiro poliglota, que para um lado fala inglês, e para o outro – que sei eu? – bengali, hindi, prácrite, sânscrito...?) Ó porteiro inacreditável, porteiro de sonho, de febre, todo vestido de encarnado, com um turbante amarelo do tamanho de um planeta, com alamares dourados, medalhas, barba e até – se não me engano – um cassetete...

Já me esqueço do Mercado e do compêndio de bengali, quero ficar vendo este porteiro, quero saber como ele vai resolver este assunto de convencer os pedintes e os passantes, uns para não darem, outros para não pedirem (se eu soubesse disto, tinha descido mais cedo lá da minha janela!), mas os amigos puxam-me, dizem que isto dura todo o dia e a noite inteira, que posso ver o porteiro noutra ocasião, metem-me no seu automóvel, e lá vamos entre carrinhos de mão, bezerros, riquixás, motocicletas, táxis, pela cidade mais fabulosa do mundo, que nenhum ocidental deve deixar de visitar antes de morrer, sob pena de não ter tido uma visão completa da vida, e chegar diante de Deus muito mais ignorante do que quando nasceu.

No Mercado há mesmo de tudo. (Ainda não acabei de sair do automóvel e já me quiseram vender meia dúzia de aves, muitos ramos de flores. Um verdadeiro leilão, ao contrário. Quando um vendedor dizia 10, o outro oferecia a mesma coisa por 8, o terceiro por 5, e se houvesse mais uns três, nessa progressão, tinha podido receber tudo de graça... Como eu ando tão encantada com tudo, direi que as galinhas pareciam faisões, as flores eram como nunca vi nem nessas exposições elegantes do Ocidente, e as frutas pareciam aquelas que Aladino encontrou na caverna: rubis e topázios figurando laranjas, romãs, goiabas...

Vieram também os meninos, como no Rio de Janeiro, com cestinhos debaixo do braço oferecer seus serviços de carregador. Nenhum deles é capaz de imaginar que eu venha apenas comprar um livro. E o livro já está ali na minha frente, todo azul, com uma barra atravessando o desenho do globo terrestre, e tudo isto escrito: "*Marlborough's – BENGALI – self-taught*", mais o aviso: "*This system teaches you the essentials of a language (for travel and enjoyment) without the drudgery of prolongued study.*" O preço ainda é maior que o título: 3'6 *net*. Ninguém me pedirá mais que essas 3 rupias e 6 *annas net*. O nome do autor vem pequenino, no fim de tudo: Sunit Kumar Chatterji, com seus títulos de doutor pelas universidades de Calcutá e Londres. Nome que merece fé. Não é por querer estudar sem *drudgery*, mas é por ter logo encontrado o que buscava, que me sinto tão contente. Agora comprarei tudo que quiserem: cintos dourados, sáris, sandálias, jarros e bacias, cabides, bolsas, as galinhas e as laranjas, as flores e os vidros de óleo para cabelo... Mas os vendedores, lá dentro, não parecem assim interessados em vender. Estão sentados de pernas cruzadas, todos com cara de poetas e filósofos, e, quando se pergunta o preço de uma coisa, levam algum tempo remexendo nas fichas da memória, e às vezes as fichas estão trocadas, e dizem que um pedaço de fita custa o preço de um carneiro, como poderiam dizer que o carneiro custa o preço de um alfinete. (Isto é suposição minha: não vá algum negociante ocidental partir para Calcutá a fim de realizar tais operações...)

Este Mercado é um pouco diferente dos que tenho visto. Tem o seu recinto, com suas ruelas internas, – tudo muito arrumado, – com os artigos em seus lugares, com seus pequenos balcões, com muitas coisas pelas portas ou pendentes do teto, como se usa na minha cidade, pelas adjacências do Itamarati. De certo modo, parece-me menos oriental que os bazares de Bombaim, Jaipur, Delhi, fascinantes, com seus metais brunidos, sua ourivesaria popular, seus panos de seda e seus tapetes amontoados e, em cima deles, o mercador com ar místico, à espera do freguês, ou à espera de Deus?...

E agora, que fazemos com tudo isto? Agora voltamos para almoçar. E o meu carregador – igualzinho a um brasileiro – com um cinto, dois cabides e um livro no seu cesto... Para que quero dois cabides? Não sei. Eram uns cabides engraçados, pintados de cores metálicas: roxos, azuis, purpúreos. Se eu contasse que existem cabides assim, ninguém acreditaria. De modo que estes cabides são duas testemunhas de um mundo maravilhoso. Duas testemunhas de arame, é certo. Mas os homens de que são? Não são de barro?

E os vendedores de aves continuavam com as galinhas que pareciam perdizes, faisões, aves do paraíso, e achavam que o seu destino era serem compradas por mim... E os homens das flores, a mesma coisa. E tudo estava mais barato: um dizia 8, outro dizia 5, outro dizia 3... E eram montes de aves, – não uma ou duas... Como ramos de flores de penas... E as aves me olhavam de lado, e logo viam que não tinham nada a temer, e quase sorriam – ou talvez sorrissem mesmo, – quem sabe?

E afinal fomos almoçar, para visitar depois a Biblioteca Nacional, em cujo vestíbulo estavam expostos desenhos e pinturas de Tagore.

Que emoção, subir esta escadaria, penetrar nesta sala, contemplar estas paredes, ao longo das quais estão colocados estes quadros "sentidos" por um dos maiores poetas do mundo! Figuras, flores, manchas de cor... – invenções poéticas representadas com tintas, procurando nas tintas a sua manifestação como em palavras visuais.

A Biblioteca está celebrando o seu meio centenário. Vi num catálogo uma breve resenha das maravilhas que possui, especialmente os manuscritos ilustrados, muitos dos quais são coleções de poesia. (Porque estes orientais têm pela Poesia um respeito análogo ao que se costuma ter pela religião. A Poesia não é um versejar fútil: é uma iluminação interior, uma espécie de santidade e de profetismo. A palavra do Poeta não é uma habilidade superficial, um diletantismo, – e sim um exemplo, uma revelação, um ensinamento através de sons e ritmos... Que alegria, respirar num país onde ainda se pensa desse modo! Que esperança de vida! Que renovação de fé na humanidade!)

Esta Biblioteca está equipada com prateleiras moderníssimas, e na principal sala de leitura há uma longa mesa em torno da qual acho que se podem sentar mais de cinquenta pessoas, tendo, cada uma, na sua frente, uma pequena estante com os livros que vai ler.

Pensar nos tesouros que aqui se encontram, em sânscrito, páli, prácrite, persa, chinês, tantos outros idiomas da Índia, e também obras do Ocidente como as de Cervantes e Goethe... Ilimitado é o mundo do espírito, e a Bíblia tem aqui o seu lugar, entre os outros velhos textos sagrados.

Rabindranath Tagore sobrevive e alegra mais este ambiente intelectual com a primavera dos seus desenhos. Como o sentimos eterno – no que pintou, no que escreveu, no que compôs em todos os caminhos da arte! Como o sentimos vivo, ao nosso lado, e entendemos o seu sonho de tornar inteligíveis, um ao outro, o Oriente e o Ocidente! E com que sinceridade lhe agradecemos! E com que carinho!

Voltamos felizes, como se o tivéssemos visto. A Beleza é uma felicidade imortal.

Rio de Janeiro, *Diário de Notícias*, 31 de outubro de 1954

Tempo sobre espelhos

FATEHPUR-SIKRI – Nunca mais se esquecerá esta cidade que jaz entre Agra e Jaipur. Nunca mais se esquecerá, – embora esteja morta, a bem dizer, desde o dia em que o seu fundador, Acbar, a abandonou, desgostoso com as suas águas. Tem-se vontade de dizer que esta cidade morreu de amor. Secou de saudade. Seus palácios, no meio desta poeira róseo-amarelada, pareceram um ramo de flores crestadas pelo tempo, mas guardando intacta a estrutura da sua beleza.

Tudo isto foi obra de Acbar, e assinalou o nascimento do príncipe anunciado pelo eremita Salim Chishti, que neste lugar vivia. Eis o túmulo do eremita: uma grade de mármore que é um muro de renda; e uma cúpula toda recoberta de escamas de nácar, pura e luzente como um pálio de seda nova. Nem os séculos nem o vento nem a poeira embaçam esta joia que adorna a morte e a faz preciosa e bela. Dizem que até hoje as mulheres que sonham ter filhos vêm deixar aqui seus votos, esperando sejam exaltados como, há quatrocentos anos, os da esposa de Acbar.

Ali, o palácio de Birbal, uma das quatro favoritas do imperador: nichos, colunas, plataformas, zimbórios tão minuciosamente lavrados que não se pode imaginar as mãos desses antigos artistas – ágeis, infatigáveis, leves e poderosas –

que assim recortavam a pedra como quem rasga uma flor. O outro palácio é o da favorita Jodh Bai. No de Maria, a lendária esposa portuguesa, dizem que havia pinturas murais com a Anunciação e a Queda do Homem.

Agora, somente o sol passeia por aqui. Nós, viajantes, não pertencemos a nada disto. E os guias que nos conduzem, que explicam estas coisas como podem, também não pertencem a estes monumentos do passado, repletos de um silêncio grandioso, fantasmas imóveis, entretidos para sempre com as suas recordações.

Aquele pavilhão com quatro minaretes, gelosias finamente recortadas, transparente varanda em toda a volta, é o "Diwan-i-khas", o salão das audiências, onde Acbar ouvia discutir a essência de todas as religiões professadas no seu reino, pelos representantes dos diferentes cultos.

Tudo isso passou, – mas deixou em Fatehpur-Sikri uma auréola, como as que cercam a cabeça dos soberanos, nas miniaturas da época. O sol cobre de ouro tudo isto. O sol é tão brilhante que ofusca a paisagem. É de sol que se enchem os ressequidos, velhos poços de pedra; é o sol que carregam no flanco de suas jarras as poucas mulheres que passam. E, num recanto onde o sol dificilmente penetra, um lago viscoso concentra suas águas densas e recobertas de tanta vegetação como um canteiro flácido, escuro e frio. Numa alta plataforma, homens quase nus dispõem-se a mergulhar, em troca de algumas rupias. Desprendem-se no ar, afundam na onda que se entreabre ao choque brusco e logo se fecha, pesada, quase sem respingo. Depois reaparecem como divindades aquáticas, úmidos, lustrosos, com o cabelo colado à face, o peito ofegante, o lábio arregaçado – para sorrir ou para respirar? – e voltam de novo para sua plataforma, de onde se desprendem outros mergulhadores, como estátuas que rolassem de altos nichos.

CAMINHO DE JAIPUR – Por uma estrada quase deserta, seguimos para Jaipur. A cidade de Jaipur é famosa por muitas coisas, entre as quais as suas portas, preciosamente decoradas de relevos, flores, imagens, peixes, arabescos. É uma cidade do século XVIII, traçada em avenidas perpendiculares, que a dividem em grandes blocos, e ruas também perpendiculares que dividem cada bloco em vários quarteirões. Muitos a chamam "cidade cor-de-rosa", porque é a cor dominante das fachadas; mas numa tonalidade discreta e calcária, – como a de certas conchas, – que o olhar se compraz em percorrer, descobrindo ramos pintados, diferentes ornatos, policromos ou brancos, tudo gracioso e gentil, como se houvesse no ar um constante pensamento festivo. Jai Singh II, o marajá fundador da cidade, não era apenas um guerreiro, mas um matemático, e especialmente um astrônomo. Construiu cinco observatórios, em vários lugares: o maior de todos é o que aqui se encontra, numa praça, ao ar livre, surpreendente nas suas linhas geométricas, nas suas barras, nos quatorze monumentais instrumentos que o compõem e lhe dão o aspecto de uma obra de arquitetura moderna, maravilhosamente simples e funcional, no centro desta risonha cidade rósea, onde o Palácio dos Ventos é uma espécie de leque de filigrana, prolixamente recortado em balcões, sacadas, gelosias, varandas, tudo superposto e harmonioso como, pluma sobre pluma, a cauda desdobrada dos pavões.

Jaipur é uma cidade viva, cheia de palácios, templos e edifícios antigos e modernos. É uma cidade clara e colorida, ampla e agradável, com um mercado das *Mil e uma noites*: cestas de frutas e grãos, frigideiras com bolos a dourar em óleo fervente, bordadores, ourives, tudo lado a lado, como uma família imensa que conversa e trabalha, estuda e brinca, – pois há mesmo jovens atentos sobre livros, pelas soleiras das portas, em face da multidão. Mas a nota mais pitoresca é a dos tintureiros, que, um em cada ponta, estendem longos panos coloridos, panos de turbantes ou de sáris, e, em plena rua, os fazem ondular por um momento, ao vento, ao sol, ao olhar dos passantes – e são longas barras amarelas, encarnadas, verdes, – larga pincelada nítida sobre mil figuras que vão e vêm, rodeiam os tabuleiros, as mesas, as barracas; vendem, provam, compram, discutem, refletem, abanam a cabeça de enormes turbantes, acertam balanças, fazem contas....

Também aparecem alguns vendedores no jardim do palácio desta *guest-house* que nos hospeda. Escultores de marfim, com suas caixas repletas de imagens mitológicas: o divino Krishna, de perna cruzada, a soprar na flauta mágica; a deusa Ganesha, com cabeça de elefante; Budas sentados em lótus; ou simples figurinhas de elefantes, espátulas esculpidas e rendadas, com leões que caminham por entre flores... Há finos bordados brancos, a ponto de sombra e ponto turco; pantufas de cetim brilhante com o bico retorcido, recamadas de palhetas de ouro; xailes de seda leve e crespa, de uma espécie de *batik*, cujo desenho é obtido com pedrinhas amarradas no pano, de acordo com o padrão, antes de serem aplicadas as diferentes cores. Não falta mesmo um jovem astrólogo, de turbante cor-de-rosa, como as casas da cidade, um astrólogo que deve estudar as posições do céu com aqueles hemisférios, ponteiros, discos e barras do marajá Jai Singh II, e que nos oferece uma pedra branca e negra como um ovo de pássaro fabuloso, dentro da qual está para sempre, ativa e gratuita, a nossa felicidade. Há, finalmente, os vendedores de pulseiras de espelho, frágeis adornos em que o sol da manhã faísca, multiplicado.

HISTÓRIA DE ESPELHOS – Os espelhos das pulseiras fazem-nos pensar numa antiga história em Chitor. A fama da beleza da rainha Padmini chegou aos ouvidos do rei de Delhi. Logo o soberano mandou cercar a fortaleza, e, depois de muita luta, concordou em levantar o cerco se o deixassem contemplar a rainha. Por mais que a proposta parecesse ultrajante ao país, a rainha, para pôr termo à luta, resolveu mostrar-se, refletida em doze espelhos. Tão perturbado ficou o rei de Delhi que aprisionou o marido de Padmini, oferecendo-lhe a liberdade em troca da mulher. Novamente ela concordou, com grande espanto do povo. E partiu para o acampamento inimigo com suas aias em setecentas liteiras. Permitiram-lhe, porém, um último encontro com o marido – e foi assim que ela voltou, frustrando o invasor, protegida pelos seus soldados, que eram aquelas aias, disfarçadas.

AMBER – Continuo a pensar em Padmini, diante desses inumeráveis espelhos que ornam o velho palácio de Amber, a antiga capital de Jaipur. Imensas paredes decoradas de pequenos espelhos, engastados em arabescos, entre mil invenções florais. Que rostos multiplicariam aqui sua beleza, povoariam estas salas de sorrisos, de olhares, de joias, de véus, de gestos, de ilusão!

O guia que nos acompanha, este paciente e sorridente Lala Bakshás, com um grande turbante amarelo a circundar um rosto de nobres feições, conta as histórias deste lugar: aponta o sítio das audiências dos antigos rajás e, em frente, as rendadas gelosias por onde as mulheres do palácio podiam ver sem serem vistas o que se passava aqui. Descreve-nos cada coluna, cada aposento, cada arco. História, ciência, mitologia, anedotas... Neste lugar, sentava--se o rei, para as refeições, com alguma favorita. (Pelas paredes em redor, há uma paisagem com a reprodução dos lugares santos.) Agora, esta outra sala, é igual à noite estrelada: uma pequena luz acesa multiplica-se nas escamas de madrepérola que revestem os muros e a abóbada... (Acende um fósforo: e o recinto fica todo cintilante...)

Como se não bastassem essas visões fabulosas, ouve-se de repente um som de gongos e sinos: é o ofício religioso num pequeno templo contíguo: um templo de porta de prata, com a deusa Durga num altar ladeado por bananeiras esculpidas em pedras de cor sobre o mármore branco. O ofício é rápido; uma nuvem de aroma, os gongos que soam, o sacerdote que chega, os fiéis que se prosternam e recebem na fronte um sinal de óleo encarnado. Mas ninguém pode

244 ◆ Cecília Meireles

entrar no templo trazendo consigo qualquer objeto de couro: nem sapatos, nem cintos, nem carteiras, nem máquinas fotográficas. Tudo fica do lado de fora.

Quando descemos, o guia mostra-nos o lugar dos antigos sacrifícios de animais, e o torreão destinado aos soberanos, para esses espetáculos. (Durga é uma deusa terrível, esposa de Shiva, símbolo da Destruição.)

Do palácio de Amber, a vista sobre os arredores é vastíssima – como um abismo cheio de sol. Subimos sentados no sereno elefante que nos espera comendo com delícia um tijolo de rapadura. E assim desceremos agora e as criancinhas correrão atrás de nós, pedindo moedas –"*bakshish! bakshish!*" – um pouco por pobreza, um pouco por brinquedo, e entre seus lábios escuros os dentes brilharão miudinhos como grãos de arroz dentro d'água.

Rio de Janeiro, *Diário de Notícias*, 7 de novembro de 1954

Pensamentos do caminho

Com muita pena, temos de regressar a Nova Delhi. Grande é o mundo, para a ambição dos viajantes; grande é, principalmente, a Índia, com tantas heranças de arte distribuídas em tantas direções. Não creio que uma pessoa, por mais dotada que seja em observar e descrever, possa, na duração de uma vida, contemplar e sentir todas as maravilhas que se acumulam aqui, onde cada flor, cada árvore, cada animal, cada pedra preciosa, cada imperador, cada guerreiro, cada poeta, cada eremita, cada palácio, cada templo tem de tudo, desde Deus, em todas as suas aparências, até um ponto de bordado, é centro de mil histórias, com mil significados e mil interpretações. Não há tempo, numa existência, por longa e penetrante que seja, para ver todos os mármores rendados; todas as sedas tecidas, lavradas, estampadas, bordadas; todas as filigranas, todos os marfins, todos os jogos inventados pela ourivesaria com metais e pedras preciosas... Não se têm olhos para ver todas as estátuas, – flancos dos monumentos, na paz dos museus, no interior das grutas; nem ouvido para a música dos cortejos, dos espetáculos festivos, das representações dramáticas, – a música interminável que envolve dançarinos cintilantes e é, ao mesmo tempo, dança, literatura, escultura, pintura, teatro...! Não há memória que guarde esta Índia imemorial, com uma história fabulosa, em que entram gregos, afgãs, persas, mongóis, italianos, portugueses, holandeses, ingleses e franceses, atraídos todos por esse poder indescritível, essa espécie de ímã que a Índia sempre foi, tanto pelas suas riquezas naturais como pela fascinante qualidade espiritual das suas tradições.

Por isso regressamos a Nova Delhi com pena. Não podemos alcançar Jodpur, fechada em sua muralha, com seus palácios cheios de antigas joias e variadas armas, – a Jodpur dos mármores, dos marfins e das sedas, o antigo reino dos descendentes de Rama...

Também não alcançaremos o antigo reino de Guallor, com suas montanhas esculpidas, com sua fortaleza, seus palácios e torres, com seus campos de algodão, de anil, de milho, de cana e de arroz... Com uma singular saudade, traduzimos mentalmente cantigas populares daqueles lados:

> De repente, me abandonas;
> depois, tornas a voltar;
> meu coração maltratado
> nem te sabe mais amar...

Cantiga de Guallor, a mesma cantiga de qualquer coração, em qualquer lugar do mundo...

> São, teus cílios, como setas.
> As sobrancelhas – espadas.
> Que é isso, coração de pedra:
> olhos, ou taças envenenadas?

***

No entanto, pensar em Nova Delhi é recordar o convívio de muitos amigos, é rever variados sítios, uns, cheios de passado, como os monumentos dos seus arredores, – outros, repletos de futuro, como esse moderníssimo Laboratório Nacional de Física, onde tantas pesquisas estão sendo conduzidas sobre diferentes problemas da Ciência, e em que se opera a magia contemporânea de cozinhar com raios de sol...

Revejo os olhos inteligentíssimos de Nandita Kripalani, a neta de Tagore, que o Brasil conheceu. Poucas famílias no mundo, como esta, do grande poeta bengalês, concentraram tanto sentimento e capacidade artística. O gênio dos Tagores resplandece em poesia, música, pintura, dança, teatro, romance, e na educação, – essa arte, suprema de modelar a humanidade. (Mais, além no extremo nordeste da Índia, não vive aquela Universidade de Shantiniketan, que sonhou ser o lugar da paz, pela aproximação do Oriente e do Ocidente, por uma obra de compreensão cultural?) Nandita, que dançou no Brasil danças líricas de seu avô, que ajudou a pôr em cena "O carteiro do rei", que deixou no Rio afetos e saudades, ocupa-se agora em desmontar estamparia moderna, para tecidos, inspirada nos motivos tradicionais da Índia. Ao mesmo tempo, interessa-se pelas diversas manifestações artísticas da juventude. Em sua companhia, pude ver tanto espetáculos de teatro contemporâneo, já com o reflexo de dramaturgia ocidental, como a dança "Kathak", em que Shamboo Maharaj, vestido de seda cor de ouro pálido, ora a sapatear, ora a descrever com as mãos, os olhos e o gesto, revivia a mais antiga, a mais bela, a mais profunda narrativa tradicional da Índia: os amores de Radha e Krishna – ao mesmo tempo história, mitologia, religião, literatura e filosofia. Ainda com ela, pude ouvir um inesquecível serão musical, com um dos instrumentos arcaicos do país, tocado por um artista ao mesmo tempo jovem, pela sua destreza, e antigo, pela idade, – belo e venerável como um patriarca ou profeta, personagem de fábula, que parecia baixado numa nuvem, apenas para nos fazer pensar nas dimensões que vão das altas nuvens para os outros mundos que nem vemos brilhar entre os planetas...

**

À medida que nos aproximamos de Nova Delhi, outras lembranças me acodem. Alguém me recomendou: "Não deixe de ver Vinoba Bhave". Escreveu-me seu nome num papel. – Mas onde? – Em qualquer parte...

Em qualquer parte, meu Deus, nesta imensidão da Índia, como se pode encontrar Vinoba Bhave?

É um discípulo de Gandhi que caminha a pé por essas aldeias que se sucedem, com suas cabanas cobertas de palha, com seus poços, com seus carros puxados por bois ou por búfalos, e onde as mulheres caminham majestosas, por mais pobres que sejam, envoltas em seus sáris cor de safira ou de escarlata, com as jarras douradas à cabeça, como coroas luminosas.

Vinoba Bhave pede aos grandes proprietários um pedaço de terra, onde os pobres possam trabalhar. As doações têm sido tão numerosas que até se insinuou em dado momento assim agirem os proprietários com receio de algum movimento social, violento. Mas Vinoba Bhave prova, principalmente, que esse é um movimento de caráter moral e espiritual; tão parecido com o Mahatma, em seus ensinamentos e atitudes.

***

Não se encontra facilmente um homem que caminha por estes campos e bosques, independente de moradia, bem-estar, companheiros, – um homem cuja vida é a vida dos outros homens, a que serve.

E ao recordar os bosques da Índia, seus rios, suas montanhas, – caminhos dos santos e dos soldados, dos rajás e dos aventureiros de todos os tempos, evoco um dos mais belos acontecimentos de Nova Delhi: o espetáculo de danças populares, outro dia, por ocasião da data da República. Os dançarinos tinham vindo de todas as regiões do país, com suas roupas e implementos característicos.

Pandit Nehru escrevera uma pequena "Mensagem" apresentando a exibição; referia-se à necessidade de todos se conhecerem, na Índia, para fundarem a sua unidade nas próprias diversidades regionais; salientava a qualidade artística das danças populares indianas; mostrava como o folclore é um retrato autêntico do povo.

Ao crepúsculo, as danças começaram, num tablado erguido no centro do estádio. Dançarinos do Assam, com plumas à cabeça, numa dança guerreira em redor do fogo; "Holi" de Bombaim, com uma nuvem de pó dourado a envolver os figurantes, na estilização da festa popular representada; pratos, arcos, paus, saiotes de palha, tronos, filas paralelas, tambores, clarins, turbantes, espadas, corpos que se inclinam, que balouçam, que se ajoelham, que corrupiam, – pulseiras, flores, véus... (A Índia múltipla, de Norte a Sul, de Leste a Oeste.) Foi por isso que houve, outrora, uma teoria "indianista" de folclore. Não se poderá dizer, talvez, que tudo começou apenas na Índia. Mas a Índia parece possuir todas as coisas que neste mundo começaram...

(Pensar que na grande parada do Dia da República desfilaram, ao lado dos mais modernos engenhos bélicos, o vagaroso elefante, com seu manto colorido, majestoso e antiquíssimo!...)

***

Volto para Nova Delhi carregada das mais doces lembranças, mas de todos os lados da terra, a História, os monumentos, o povo, as aldeias e os templos me estão falando, chamando, seduzindo. O mármore dos palácios e a palha das cabanas têm para os meus ouvidos a mesma linguagem. Compreendo que se diga frequentemente: "a Índia misteriosa". Há, na verdade, um mistério neste país. Uma densa emanação de espírito, uma força que se impõe, diversa da força humana e irresistível. Como se isto fosse uma antecâmara da Eternidade. Atravesso a tarde, silenciosa, fria, translúcida como um vidro azul. (Oh, Índia sobrenatural!)

Rio de Janeiro, *Diário de Notícias*, 20 de novembro de 1954

Variedades

Os bengalis gostam de doces: é o que diz o compêndio – *bangalira bara misti-khor*; mas apenas conheci três: o transparente *gelabis,* feito de mel, o *sandesh,* uma espécie de doce de leite preparado com limão e moldado em forminhas especiais, e o *rass-gula,* bolas de caseína com um torrão de açúcar dentro, banhadas em calda leve e aromática.

Aqui, a doçura da vida está ligada ao açúcar das iguarias; e, na cerimônia do casamento, os noivos colocam nos lábios um do outro uma gota de mel, a fim de que só existam, entre eles, palavras doces.

Isto é uma terra para ser entendida devagarinho, para ser amada com ternura: uma terra não apenas de febres, de cólera-*morbus*, de doenças e tigres, mas de mangueiras, de canções, de festas populares e histórias maravilhosas.

É a terra dos *alponas*, decorações rituais ligadas a práticas populares e às cerimônias de casamento e nascimento, – decorações dos bancos em que devem sentar os noivos, ou do chão do aposento em que são colocadas oferendas de flores e frutos, em diferentes festas.

Essas decorações constituem uma arte doméstica tradicional, exercida apenas pelas mulheres. São traçadas com os dedos. A tinta é água com farinha de arroz e alguma cor vegetal. Os motivos podem ser puramente ornamentais, ou descritivos. São frequentemente simbólicos, tanto no desenho como nas cores. Para certa deusa da prosperidade e da beleza, que se cultua três vezes no ano, o *alpona* é verde, antes da semeadura; amarelo, quando os campos de arroz estão maduros, e vermelho, por ocasião da colheita.

Há muitas cerimônias em que intervêm os *alponas,* como ornamento mágico: a dos pés de Krishna, a da deusa da noite, a da deusa da chuva, a do outono, a das folhas de mostarda e outras. São acompanhadas de dança, cânticos, e constituem pequenas representações, que os *alponas* ilustram ou completam. Numa delas, a do casamento do filho do sol com a filha da terra, encontrei esta linda cantiga de berço, que as traduções superpostas não conseguem prejudicar:

> Este é o filho do sol:
> que nome lhe darei?
> Dar-lhe-ei uma manga
> e o nome de Rama;
> dar-lhe-ei uma laranja
> e o nome de Kamla[1]
> dar-lhe-ei um pouco d'água
> e o nome de Jei.[2]
> É o filho de um rei,
> é o filho de um rei:
> o nome de Raja
> dar-lhe-ei.
> É o filho do filho do sol:
> que joias lhe darei?
> Dar-lhe-ei braceletes
> para os seus bracinhos;
> para o seu pescoço,
> colares darei.
> Dar-lhe-ei um amuleto
> para cobrir-lhe o peito.
> Darei campainhas
> para os seus pezinhos:
> dar-lhe-ei anéis

---

1 Lótus.
2 Vitória.

para os seus dedinhos.
Quando este menino dançar de alegria,
todo o reino rirá de alegria.

Quanto às histórias maravilhosas, de que a Índia é riquíssima, a das Sete Flores de Champak e da Flor de Parul é, certamente, uma das mais belas. Champak é uma árvore de flores amarelas, muito perfumosas, cujo nome aparece com frequência nas composições dos poetas. Parul é uma flor celeste, imaginária, também frequentemente citada nos contos maravilhosos.

Pois era uma vez um rei que tinha sete rainhas, e as mais velhas eram más, orgulhosas, desdenhosas, enquanto a mais jovem, ao contrário, era modesta e amável, e o rei a preferia a todas as outras.

O rei levou muito tempo sem ter filhos, o que muito o desgostava, por não possuir um herdeiro que lhe sucedesse no trono e lhe acendesse a fogueira funerária.

Mas, um dia, lhe anunciaram que a mais jovem das rainhas breve seria mãe. O rei ficou muito feliz, e mandou abrir todos os cofres cheios de tesouros, e anunciar por todo o reino que cada um podia vir retirar deles o que quisesse.

Mas, enquanto o rei e seus vassalos assim se alegravam, as outras rainhas sofriam de raiva e ciúme; e, quando se pensou em arranjar uma aia para cuidar da jovem mãe, opuseram-se, dizendo que se ocupariam dela da melhor maneira possível.

Nasceu uma linda menina cor de ouro, com cabelos negros como ébano. As invejosas rainhas esconderam-na num pote, que meteram sob um monte de cinza atrás do muro do palácio. E, quando o rei quis ver a criança, mostraram-lhe uma boneca de madeira, dizendo: "Foi esta feia boneca, ó rei, que a rainha pôs no mundo!"

O rei saiu do quarto sem dizer nada. E, assim, durante sete anos, a rainha deu à luz sete meninos lindos, e as invejosas enterraram os sete príncipes recém-nascidos sob o grande monte de cinzas. Sempre que a pobre mãe pedia para ver o seu filhinho as invejosas diziam: "Que filho? Não há filho nenhum! O que nasceu foi um rato..." E mostravam um rato ao rei, dizendo-lhe: "Ó rei, isto é o teu filho..."

De modo que o rei, muito irritado, expulsou a jovem rainha do palácio, mandando-a trabalhar no campo. As invejosas ficaram muito contentes. Mas o rei ficou triste, pois, sem ela, o palácio lhe parecia deserto, além de que muitas coisas estranhas aconteceram, quando a jovem rainha foi expulsa: as mangueiras não deram mais frutas, as flores do jardim não desabrocharam mais, e todos os pássaros deixaram de cantar subitamente.

Estava o rei muito triste, sem frutas para a sua sede, nem pássaros para o seu despertar, nem flores para a sua devoção, quando um dos seus jardineiros o abordou com uma boa notícia: "Ó rei – disse-lhe ele, – acaba de acontecer uma coisa maravilhosa: atrás do palácio havia um grande monte de cinzas. Dessas cinzas nasceram duas árvores: um Champak e um Parul. Sete flores acabam de desabrochar no Champak, e, no Parul, uma flor apareceu. Vem ver essas oito flores, e as tuas tristezas terminarão."

– Traze-me essas flores imediatamente – disse o rei, – para que eu as possa levar em oferenda ao templo.

Mas o jardineiro não as conseguiu colher, e ficou admiradíssimo de ouvir o botão de Parul falar: "Ó meus irmãos Champaks, respondei-me, ainda estais dormindo?" E as sete flores de Champak responderam: "Ó flor de Parul, ó irmãzinha, que nova desgraça nos anuncias?" E disse Parul: "O jardineiro do rei vem colher os Champaks e sua irmã. Deveremos deixá-lo levar as flores?" E os sete irmãos exclamaram: "Não, não, – queremos crescer, não queremos ser colhidos; mas se o rei vier aqui, talvez possa levar as flores".

O jardineiro corre a anunciar ao rei a conversa das flores; o rei vem ver as árvores; as flores repetem o seu diálogo, com uma variante: "Se a velha rainha vier aqui, talvez possa levar as flores". Vem a velha rainha, vem todas as outras, e nenhuma as pode colher. Os ramos crescem cada vez mais, até tocarem o céu, onde as flores brilham como oito estrelas. E de lá de cima se ouve: "A mais jovem das rainhas, a que trabalha curvada, no campo, se essa vier aqui, poderá levar as flores".

Afinal, a jovem rainha vem, irreconhecível, com os pés e as mãos cobertos de lama e os vestidos todos rasgados. Mas logo que levanta os braços para as flores, as flores descem como pássaros, destacam-se dos ramos, pousam como grinalda no seu cabelo, e dentro delas aparecem sete príncipes e uma princesa, que dançam e cantam em redor da rainha abandonada: "Mãe, ó mãe, nós somos teus filhos, e nunca mais trabalharás no campo!"

Todos os cortesãos estavam mudos de espanto, o rei chorava, as velhas rainhas tremiam de medo. Foram banidas do reino, enquanto aquela, injustamente condenada, voltava em grande pompa, ao som das trombetas reais.

Os pássaros recomeçaram a cantar, as flores desabrocharam de novo, e, nesse ano, a colheita de mangas foi como nunca tinha sido até ali.

Assim termina essa história que os meninos bengalis ouvem de suas avós, ao anoitecer, sob as vastas mangueiras. (Como antigas crianças brasileiras saudosamente ouviam...)

Rio de Janeiro, *Diário de Notícias*, 28 de novembro de 1954

Cronologia

1901

A 7 de novembro, nasce Cecília Benevides de Carvalho Meirelles, no Rio de Janeiro. Seus pais, Carlos Alberto de Carvalho Meirelles (falecido três meses antes do nascimento da filha) e Mathilde Benevides. Dos quatro filhos do casal, apenas Cecília sobrevive.

1904

Com a morte da mãe, passa a ser criada pela avó materna, Jacintha Garcia Benevides.

1910

Conclui com distinção o curso primário na Escola Estácio de Sá.

1912

Conclui com distinção o curso médio na Escola Estácio de Sá, premiada com medalha de ouro recebida no ano seguinte das mãos de Olavo Bilac, então inspetor escolar do Distrito Federal.

1917

Formada pela Escola Normal (Instituto de Educação), começa a exercer o magistério primário em escolas oficiais do Distrito. Estuda línguas e em seguida ingressa no Conservatório de Música.

1919

Publica o primeiro livro, *Espectros*.

1922

Casa-se com o artista plástico português Fernando Correia Dias.

1923

Publica *Nunca mais... e Poema dos poemas*. Nasce sua filha Maria Elvira.

1924

Publica o livro didático *Criança meu amor...* Nasce sua filha Maria Mathilde.

1925

Publica *Baladas para El-Rei*. Nasce sua filha Maria Fernanda.

1927

Aproxima-se do grupo modernista que se congrega em torno da revista *Festa*.

1929

Publica a tese *O espírito vitorioso*. Começa a escrever crônicas para *O Jornal*, do Rio de Janeiro.

1930

Publica o ensaio *Saudação à menina de Portugal*. Participa ativamente do movimento de reformas do ensino e dirige, no *Diário de Notícias*, página diária dedicada a assuntos de educação (até 1933).

1934

Publica o livro *Leituras infantis*, resultado de uma pesquisa pedagógica. Cria uma biblioteca (pioneira no país) especializada em literatura infantil, no antigo Pavilhão Mourisco, na praia de Botafogo. Viaja a Portugal, onde faz conferências nas Universidades de Lisboa e Coimbra.

1935

Publica em Portugal os ensaios *Notícia da poesia brasileira* e *Batuque, samba e macumba*.

Morre Fernando Correia Dias.

Nomeada professora de literatura luso-brasileira e mais tarde técnica e crítica literária da recém-criada Universidade do Distrito Federal, na qual permanece até 1938.

1937

Publica o livro infantojuvenil *A festa das letras*, em parceria com Josué de Castro.

1938

Publica o livro didático *Rute e Alberto resolveram ser turistas*. Conquista o prêmio Olavo Bilac de poesia da Academia Brasileira de Letras com o inédito *Viagem*.

1939

Em Lisboa, publica *Viagem*, quando adota o sobrenome literário Meireles, sem o *l* dobrado.

1940

Leciona Literatura e Cultura Brasileiras na Universidade do Texas, Estados Unidos. Profere no México conferências sobre literatura, folclore e educação.

Casa-se com o agrônomo Heitor Vinicius da Silveira Grillo.

1941

Começa a escrever crônicas para *A Manhã*, do Rio de Janeiro. Dirige a revista *Travel in Brazil*, do Departamento de Imprensa e Propaganda.

1942

Publica *Vaga música*.

1944

Publica a antologia *Poetas novos de Portugal*. Viaja para o Uruguai e para a Argentina. Começa a escrever crônicas para a *Folha Carioca* e o *Correio Paulistano*.

1945

Publica *Mar absoluto e outros poemas* e, em Boston, o livro didático *Rute e Alberto*.

1947

Publica em Montevidéu *Antologia poética (1923-1945)*.

1948

Publica em Portugal *Evocação lírica de Lisboa*. Passa a colaborar com a Comissão Nacional do Folclore.

1949

Publica *Retrato natural* e a biografia *Rui: pequena história de uma grande vida*. Começa a escrever crônicas para a *Folha da Manhã*, de São Paulo.

1951

Publica *Amor em Leonoreta*, em edição fora de comércio, e o livro de ensaios *Problemas da literatura infantil*.

Secretaria o Primeiro Congresso Nacional de Folclore.

1952

Publica *Doze noturnos da Holanda & O Aeronauta* e o ensaio "Artes populares" no volume em coautoria *As artes plásticas no Brasil*. Recebe o Grau de Oficial da Ordem do Mérito, no Chile.

1953

Publica *Romanceiro da Inconfidência* e, em Haia, *Poèmes*. Começa a escrever para o suplemento literário do *Diário de Notícias*, do Rio de Janeiro, e para *O Estado de S. Paulo*.

1953-1954

Viaja para a Europa, Açores, Goa e Índia, onde recebe o título de Doutora *Honoris Causa* da Universidade de Delhi.

1955

Publica *Pequeno oratório de Santa Clara, Pistoia, cemitério militar brasileiro* e *Espelho cego*, em edições fora de comércio, e, em Portugal, o ensaio *Panorama folclórico dos Açores: especialmente da Ilha de S. Miguel*.

1956

Publica *Canções* e *Giroflê, giroflá*.

1957

Publica *Romance de Santa Cecília* e *A rosa*, em edições fora de comércio, e o ensaio *A Bíblia na poesia brasileira*. Viaja para Porto Rico.

1958

Publica *Obra poética* (poesia reunida). Viaja para Israel, Grécia e Itália.

1959

Publica *Eternidade de Israel*.

1960

Publica *Metal rosicler*.

1961

Publica *Poemas escritos na Índia* e, em Nova Delhi, *Tagore and Brazil*.

Começa a escrever crônicas para o programa *Quadrante*, da Rádio Ministério da Educação e Cultura.

1962

Publica a antologia *Poesia de Israel.*

1963

Publica *Solombra* e *Antologia poética.* Começa a escrever crônicas para o programa *Vozes da cidade*, da Rádio Roquette-Pinto, e para a *Folha de S.Paulo.*

1964

Publica o livro infantojuvenil *Ou isto ou aquilo*, com ilustrações de Maria Bonomi, e o livro de crônicas *Escolha o seu sonho.*

Falece a 9 de novembro, no Rio de Janeiro.

1965

Conquista, postumamente, o Prêmio Machado de Assis da Academia Brasileira de Letras, pelo conjunto de sua obra.

Conheça outros títulos de
Cecília Meireles pela Global Editora

- O Aeronauta
- Amor em Leonoreta
- Baladas para El-Rei*
- Canções
- Cânticos
- Crônica trovada da cidade de Sam Sebastiam*
- Crônicas de educação (5 volumes)*
- Crônicas de viagem (3 volumes)
- Doze noturnos da Holanda
- Espectros
- Mar absoluto e outros poemas
- Metal Rosicler
- Morena, pena de amor
- Nunca mais... e Poema dos poemas
- Pequeno oratório de Santa Clara, Romance de Santa Cecília e Oratório de Santa Maria Egipcíaca
- Pistoia, Cemitério Militar Brasileiro
- Poemas de viagens*
- Poemas escritos na Índia
- Poemas italianos*
- Problemas da literatura infantil
- Retrato natural
- Romanceiro da Inconfidência
- Solombra
- Sonhos
- Vaga música
- Viagem

prelo

GRÁFICA PAYM
Tel. [11] 4392-3344
paym@graficapaym.com.br